해양경찰을 만나다

해양경찰을 만나다

지은이 서동일

발 행 2022년 10월 28일
펴낸이 한건희
펴낸곳 주식회사 부크크
출판사등록 2014.07.15.(제2014-16호)
주 소 서울특별시 금천구 가산디지털1로 119 SK트윈타워 A동 305호
전 화 1670-8316
이메일 info@bookk.co.kr

ISBN 979-11-372-9921-4

www.bookk.co.kr

해양경찰을 만나다

서동일 지음

BOOKK

▌차 례

머리말 7

•해양경찰 일반•

1. 해양경찰 무엇인가? 13
2. 해양경찰이 하는 일 20
3. 해양경찰 업무와 중요가치와의 관련성 33
4. 해양경찰 공무원의 특수한 권리 36
5. 해양경찰의 전문성 45
6. 해양경찰의 위상 52
7. 해양경찰 대표 상징표시 57
8. 해양환경의 특성 62
9. 해양경찰과 경찰공통의 목적, 그리고 법 집행 70
10. 해양경찰과 국제법 76
11. 해양경찰관 역할의 중요성 83
12. 해양경찰 정신은? 89
13. 해양경찰의 정체성 97
14. 해양경찰학에 관한 이야기
 - 현장의 해양경찰관에게 102

15. 해양경찰학의 의의 109
16. 해양경찰 업무의 우선순위 121
17. 어떤 경찰관으로 평가받을까?
- 평가자의 심리는 128
18. 해양경찰의 수사 - 범죄 검거 건수는? 135
19. 해양경찰 수사 활동 - 수사 입문 142
20. 해양경찰관 현재 나의 위치는? 150
21. 해양경찰의 미래 비전 157

• 해양경찰 리더십 •

22. 해양경찰 일 잘하는 계기 2가지 164
23. 해양리더십 172
24. 현장 해양리더십 사례① 179
25. 현장 해양리더십 사례② 184

• 해양경찰 채용시험 준비생에게 •

26. 가장 좋은 공무원은 어디인가,
해양경찰은 어떤가? 192
27. 해양경찰을 선택할 때 고려사항 199
28. 해양경찰이 되기 전 짚어 봐야 할 것들 204

29. 해양경찰 채용시험 준비생에게 212
30. 해양경찰 면접의 핵심 218
31. 해양경찰 채용시험 단계별 대비 방법 222
32. 신임해양경찰 교육의 중요성 232
33. 신임해양경찰 교육에서 무엇을 배우나? 237

맺는말 243

머리말

여러분 반갑습니다.

세상에는 수많은 책이 있고 지금도 계속해서 만들어지고 있지만 해양경찰에 대하여 알려 주는 책은 그리 많지 않습니다. 찾는 사람이 적어서일까요, 만드는 사람이 없어서 그럴까요?

저는 20년 넘게 해양경찰관으로 근무하였습니다. 여러 부서에서 다양한 업무를 경험하여 왔는데 그중에서 적잖은 기간을 해양경찰교육기관에서 교수요원으로 근무하였습니다. 해양경찰 업무와 관련된 여러 가지 자료를 수집하고 연구를 하고, 나름의 이론을 정립하여 왔습니다.

그리고 신임해양경찰관을 많이 길러내었고, 기존의 경찰관 교육도 실시하였죠.

또 해양경찰의 현장에서 이루어지는 실무와 학문적인 이론을 결합시켜 실상에 맞는 자료를 만들기도 했습니다. 지금까지의 경험과 연구를 통해 쌓아온 지식을 바탕으로 해양경찰에 대한 기본적인 내용부터 정리하여 필요한 분에게 전해 드리고자 이렇게 저술 작업을 하고 있습니다.

저는 이 책을 통하여 바다에서 활동하는 경찰과 그 경찰업무에 관련된 이야기를 나누고자 합니다. 여러분 중에는 해양경찰에 대해 관심이 있는 사람도 있을 것이고, 또 본인이 해양경찰에 들어가서 경찰관으로서 포부를 펼쳐보려고 하는 사람도 있을 것입니다. 누구든 상관없이 모든 사람들에게 해양경찰에 관해서 좀 더 쉽게 설명드리려는 마음을 가지고 있습니다.

해양경찰에 관한 다양한 내용을 가지고 진솔하게 이야기하겠습니다. 특히 해양경찰이 되려고 꿈꾸는 사람들에게 당부하는 말을 꾸밈없이 하겠습니다. 저는 오랫동안 그들에게 해양경찰을 선택하기 전에 먼저 신중하게 판단해보는 시간을 갖기를 권하고 싶었습니다. 그래서 여기에서도 직업을 선택할 땐 신중히 하라는 말을 되풀이하고 있습니다. 그만큼 해양경찰관의 중요성을 강조하는 것입니다. 제가 드리는 이야기가 긍정적으로 작용하고, 도움이 되는 쪽으로 활용되었으면 좋겠다고 생각합니다.

우리가 혼자서 공부를 하다 보면 어떤 부분에 이해가 잘 되지 않아서 관련된 다른 부분까지 감이 오지 않는 경우도 있습니다. 이럴 때 그 내용을 잘 알고 있는 사람이 조금만 힌트를 주거나 코치를 해 주어도 쉽게 그 내용이 이해가 될 수 있죠. 이처럼 저도 답답한 부분을 시원하게 해결할 수 있는 작은 청량제 같은 역할을 하도록 하겠습니다.

우리 사회에는 해양경찰에 대한 자료가 많지 않습니다. 실제로 해양경찰을 잘 아는 사람이 경험과 이론을 결합하여 지식을 정립하거나 책자로 만들어 내는 노력이 부족했던 결과가 아닐까 생각합니다. 또, 알려고 하는 사람이 많이 없어서 그럴 수도 있겠지만, 적은 숫자라 하더라도 알고 싶어 하는 사람이 있다면 그 일이 힘들더라도 제대로 알려 주는 것이 좋지 않을까요.

여기에 들어있는 내용들은 제가 운영하는 유튜브 채널인 마린폴 교실에 나온 것을 바탕으로 하였습니다. 그 내용은 해양경찰에 관한 모든 것을 너무 자세하게 다루지 않으려고 합니다. 그렇게 되면 딱딱한 교재가 될 수밖에 없으므로 가능한 부담 없이 읽을 수 있도록 쉽게 서술하려는 것입니다. 해양경찰에 관한 전문적인 지식을 배우기 전에 가볍게 접하는 입문서가 되었으면 하는 기대를 가져 봅니다.

해양경찰에 관련된 책을 쓸 때 늘 느끼는 점은 이 분야에서 첫걸음을 떼는 자가 되어 홀로 걸어간다는 것입니다. 그렇지만 책이 완성되어 독자들 앞에 나타날 즈음에는 혼자가 아니라 주위의 사람들과 함께 같은 주제로 이야기 나눌 수 있기를 기대해 봅니다.

끝으로 늘 옆에 있어 든든한 나의 가족과 친지들, 그리고 응원해주는 지인들에게 감사의 말씀을 드리며 이렇게 한 권의 책을 내어 놓습니다.

서 동 일

• 해양경찰 일반 •

1. 해양경찰 무엇인가?

* * *

지금부터 해양경찰에 관한 이야기를 시작해 보겠습니다. 첫 번째 내용으로 해양경찰이 무엇인지를 알아보는 시간을 갖도록 하겠습니다.

이미 아는 분은 어느 정도 알고 있는 내용일 수도 있겠지만 제가 지금부터 말씀드리려고 하는 내용과 독자분이 떠올리고 있는 이미지가 같을지 궁금합니다.

해양경찰은 '바다에서 경찰업무를 수행하는 경찰이다.'라는 것은 다 알고 계시죠.

바다에서 경찰업무를 수행한다고 하니까 아주 특별한 경찰업무를 하는 것으로 생각할 수 있는데, 그게 아니라 일반적인 경찰업무를 수행합니다. 보통경찰 집행기관으로서 역할을 합니다.

어떤 나라가 있는데, 그 나라가 제대로 운영되기 위해서는 소속된 기관들이 각자의 권한을 가지고 역할을 수행할 수 있어야 하겠죠. 경찰기관도 마찬가지입니다.

경찰기관은 경찰권을 가지고 국가의 영토, 관할권이 미치는 범위 내에서 업무를 수행합니다. 우리나라는 육상에서는 일반경찰이, 해양에서는 해양경찰이 그 일을 수행하고 있습니다.

해양경찰의 장소적 범위인 해양에 대해서 한번 살펴보겠습니다. 현재 우리나라의 법령 중에 해양에서 시행되고 있는 해사법규가 있는데요. 거기에 보면 해양의 범위에 대해 여러 가지 방식으로 규정하고 있는 개별법과 법 조항들이 있습니다.

그런데, 어떤 사람들은 그 개별법 법 조항들을 해양경찰의 활동 범위인 해양과 연결시켜 해석하려는 사람들이 있습니다. 물론 해양경찰의 역할 범위가 해양이라는 곳이기 때문에 서로 관련이 있는 부분도 있겠죠. 그렇지만 개별법은 그 개별법이 추구하는 목적이 있거든요. 그렇다면 개별법은 그 목적에 맞게 해석을 하면 됩니다.

무슨 말이냐 하면, 해양경찰의 장소적 활동 범위는 그것보다 훨씬 더 유연하게 해석하는 것이 좋다고 생각한다는 것입니다.

"해양경찰의 관할에 대한 근거법은 있는가?" 한다면, "여러분은 알고 계세요?"
"예, 물론 정해져 있습니다."
「해양경찰청과 그소속기관직제 시행규칙」을 보면 해양경찰의 관할범위가 나와 있습니다.
그 법령에는 해상의 관할권이 나와 있고, 육상의 내수면에서도 활동할 수 있게 되어 있습니다.

"아니, 바다에서 활동하는 경찰이 어떻게 육상의 내수면에서도 활동을 하지?" 이런 의문을 가질 수 있겠죠.
그래서 제가 말씀드렸듯이 해양이라는 범위를 너무 어떤 개별 법령에 맞춰 해석하다 보면 유연한 사고가 나올 수 없다는 것입니다.

요즘 수상레저기구를 타면서 즐기는 분들이 많죠. 바다에서 활동하는 분들이 많고 강이나 호수에서 활동하는 분들도 많이 있습니다.
육상에서 수상레저와 관련된 업무를 수행하는 분들이 상대적으로 전문성이 좀 부족하다 보니 해양경찰에서 면허를 따는 것에서부터 수상레저사업을 운영하는 분들에 대한 관리감독과 레저활동자 단속업무까지도 하고 있거든요. 이것은 바로 해양의 범위를 유연하게 봐야함을 나타내는 일례라 할 수 있습니다. 수상레저업무에 관한 해양경찰의 전문성이 장소적인 범위보다 더 멀리 확장되었다고 볼 수 있을 것입니다.

또, 바다라고 하더라도 흔히 우리가 알고 있는 국제법에서 나온 개념인 '영해, 접속수역, 배타적경제수역, 대륙붕, 공해' 등, 이런 내용들을 해양경찰이 활동하는 범위와 연결시켜 생각하는 것은 바람직한 것은 아니라고 저는 생각합니다. 해양경비법 같은데 보면 그런 개념들이 규정이 되어 있죠. 그러나 해양경비법 그 자체, 경비 활동이라는 것도 해양경찰의 업무 중 하나이지 전부는 아니라는 것입니다.

해양경찰의 업무 중에서 수사나 외사 업무가 있습니다. 수사나 외사 업무의 경우에도 범법자를 반드시 해양에서만 단속하거나 검거할 수는 없습니다. 범법자가 바다에서 활동하다가 육지로 이동하기 때문입니다. 이럴 땐 해양경찰의 활동 범위를 바다에만 한정해서는 안됩니다. 해상에서 범죄행위를 한 사람이 육상으로 피신을 하였다면 그곳으로 가서 검거를 해야 하겠죠.

해양의 범위를 좀 더 쉽게 이해하기 위해 현재 해양경찰이 근무하고 있는 체제를 살펴보겠습니다. 해양경찰의 근무지는 크게 3가지로 나누어지는데 첫 번째가 해양, 두 번째가 해양과 이어진 바닷가, 세 번째가 육상입니다.

첫 번째, 해양에서는 함정을 타고 경비업무를 하거나 해상 치안활동을 합니다.

두 번째, 바닷가에서는 선박 출입항 신고업무, 안전사고 예방을 위한 순찰, 범죄예방 및 단속, 기타 대민 서비스업무 등을 합니다. 근무지는 파출소와 출장소입니다.

세 번째, 육상에서는 해양경찰서의 경무, 해양경비, 해양안전, 수사, 정보 및 외사, 장비관리, 해양오염방제 등의 부서에서 근무를 합니다.

세 가지 장소로 나누어지지만 장소적으로 서로 연결되어서 해양경찰의 업무를 수행하는 것입니다. 장소적 범위에서 볼 때 주 활동지는 해양이 됩니다. 그렇지만 그 경계를 너무 명확하게 구분하여 따지다 보면 업무가 차단되어 버릴 수도 있습니다. 우리나라의 국가경찰인 해양경찰은 해상과 육상에서 서로 연관을 가지고 업무를 처리하므로 좀 더 유연하게 바라보는 게 좋겠습니다.

지금까지 해양에 대해서 살펴보았고, 다음은 경찰에 대해서 알아보겠습니다.

먼저, 해양경찰의 신분에 대해 알아볼까요?

해양경찰은 경찰권을 가지고 그 역할을 수행하는 대한민국의 국가경찰입니다. 신분과 관련된 근거법은 국가공무원법과 경찰공무원법입니다. 국가공무원법에서 경력직공무원을 일반직공무원과 특정직공무원으로 나누는데, 경찰공무원은 특정직공무원에 속합니다. 그리고 경찰공무원만을 따로 규정하고 있는 법이 '경찰공무원법'입니다. 그런데, 경찰공무원법은 경찰청과 해양경찰청 소속의 모든 경찰이 똑같이 적용됩니다.

다음으로 해양경찰이 하는 일, 역할과 관련된 것을 작용법이라고 하는데 이 작용법은 '경찰관직무집행법'입니다. 이것도 역시 경찰청과 같이 적용을 받고 있습니다. 물론 해양에서의 경비에 관한 기본법인 해양경비법이 제정되어 시행되고 있지만, 해양경찰의 전반적인 작용에 관한 일반법은 경찰관직무집행법인 것입니다.

그다음에 해양경찰만의 특성을 논하려고 한다면 근무환

경이 되는 해양(바다)과 거기에서 이용하는 함정이나 장비 등을 살펴보아야 합니다. 즉, 해양경찰로서 업무를 수행하려면 함정이나 장비 등을 이용하는데 필요한 능력을 갖추고 있어야 하는 점이 육상의 경찰과 다른 점이라고 하겠습니다. 그 내용에 관해서는 다음에 따로 시간을 내어 살펴보도록 하겠습니다.

이 시간에는 해양경찰이 무엇인지에 대하여 기본이 되는 몇 가지 내용을 살펴보았습니다. 기본이 되면서도 중요한 것이므로 잘 파악하여 이해하고 있어야 하겠습니다.

2. 해양경찰이 하는 일

* * *

이번 시간에는 해양경찰의 업무에 대하여 알아보도록 하겠습니다. 해양경찰의 업무는 해양경찰청 홈페이지나 관련 책자를 찾아보면 나와 있습니다. 그 내용을 읽어보면 이해가 되겠지만, 혹시 파악이 잘되지 않는 부분이 있을지 몰라 약간의 코치를 해드리는 수준에서 짚어 보려 합니다. 해양경찰이 어떤 일을 하는지를 지금부터 한번 살펴보겠습니다.

(1) 해양경비 업무입니다.

해양 경비업무는 해양경찰을 존재하게 했고 다른 업무와 연결해서 볼 때 아주 기본이 되는 업무입니다. 해양에서 경찰관들이 경비함정을 타고 우리 바다를 지키는 일입니다. '해양경찰' 하면 떠오르는 모습이 '경찰관이 함정을 타고 활동하는' 장면이 아닐까 생각합니다. 거기에서 해양경찰의 대표적인 활동인 해양경비가 나타난다고 하겠습니다.

해양경찰이 처음 창설되었을 때부터 주목적이 바로 해양경비업무이었음을 볼 때 그 중요성을 알 수 있습니다.

인접해양주권선내의 해양경비에 당하게 하기 위하여 내무부 치안국 경비과에 배치된 경찰관으로서 동경비과장 소속하에 해양경찰대를 편성한다.(해양경찰대편성령 제1조)

지금부터 해양경비 활동의 내용을 살펴보겠습니다.

첫 번째, 해양경비의 가장 기본이 되는 관할해역을 지키는 업무입니다. 그 업무의 대상이 누구인지를 중심으로 살펴볼 필요가 있습니다. 하나는 우리 국민이 아닌 외부인(외부세력)이 있고, 다른 하나는 우리 국민이 있죠.

① 대외적으로는 외부의 세력들이 대한민국의 바다에서 권리를 침해하거나 불법행위를 하지 못하도록 제지하고 단속하는 역할을 하고 있습니다. 그 대상은 불법조업을 일삼는 외국어선, 밀입국 등 각종 범죄행위, 그리고 해양영토를 침범하는 행위 등이 여기에 속합니다.

해양경찰이 지키는 해양의 범위는 육지의 약 4.5배에 이르는 면적입니다. 이 해역에서 외부세력을 향하여 펼치는 해양경비 업무는 대한민국의 주권을 수호하는 소중한 일이라고 하겠습니다.

② 대내적으로도 해양 관련 범죄에 대한 예방 활동을 하고, 또한 법을 어기는 행위에 대해서는 단속하고 검거하는 등 범죄행위에 대해서는 엄격하게 대처하는 역할을 담당합니다.

해양경비 활동은 순수하게 경비업무에만 그칠 수 있지만, 여기에서 파악한 업무가 다른 업무로 이어질 수도 있습니다. 예를 들어 경비함정에서 사고를 발견했을 때는 수색구조 업무로, 법을 위반하는 행위를 인지했을 때는 수사업무로 이어집니다.

두 번째, 경비활동을 통하여 해양수산자원 보호, 해양시설의 보호에 관한 조치 등을 이행합니다. 우리의 바다에는 해양 동식물을 포함하여 많은 해양수산자원이 있는데 이를 불법 포획하고 함부로 훼손하는 행위를 검거하거나 단속하는 역할을 합니다. 그리고 여러 가지 해양시설을 안전하게 보호하는 일을 맡고 있습니다.

세 번째, 바다에서 자연적 재해나 사고를 당한 사람들에게 도움을 주는 일을 하고, 선박이 안전하게 활동할 수 있도록 해상항행에 대한 보호조치를 합니다.

그 밖에 해양에서 공공의 안녕과 질서유지를 위한 것과 관련된 일을 수행하는 경우에 해양경비의 내용이 될 수 있습니다.

경비업무의 범위는 법 규정 등에서 명시하고 있지만 모든 내용을 명확히 열거하기보다는 해양경찰이 바다를 지키는 일이면 다 포함된다고 볼 수 있습니다. 주로 경비함정을 이용하여서 하는 일이므로 때로는 해양경비의 범위를 넘을 수 있는 광범위의 활동이라고 할 수 있습니다.

(2) 수색·구조 업무입니다.

해양경찰은 해상에서 조난사고를 당한 대상의 생명과 신체 및 재산을 보호하고 도움을 주는 일을 합니다. 수색구조(Search and Rescue)라는 용어는 바다에서 사고 등으로 어려움에 처해 있는 사람을 구조하는 일이므로 전 세계 어느 바다에서나 두루 적용되는 것입니다.

바다에서 조난을 당했거나 선박이 사고를 당해 어려움을 겪는 상황에서 해양경찰에 도움을 요청했거나 목격자의 신고, 통신·경보장치·경비함정의 인지 등을 통하여 사고를 당한 선박이나 사람을 수색하여 찾아내고 구조하는 일입니다. 여기에는 많은 장비와 인력이 소요됩니다. 함정, 항공기, 구조 및 통신장비, 구조대원 및 경찰관 등이 투입되어 인명 구조를 비롯한 각종 구조 및 구난작업을 수행합니다.

해양경찰은 이 업무를 하기 위하여 해양경찰청, 지방해양경찰청, 해양경찰서에 관리부서를 두고 있습니다. 그리고 현장에 출동하여 그 일을 수행하는 조직으로 중앙해양특수구조단과 해양경찰구조대, 그리고 항공구조팀 등을 두고 있습니다.

이와 함께 '수상에서 수색·구조 등에 관한 법률'에 따라 수색구조본부를 설치하고 있는데 중앙구조본부(해양경찰청), 광역구조본부(지방해양경찰청), 지역구조본부(해양경찰서)를 두고 임무를 수행합니다.

(3) 해양안전 업무입니다.

안전이란 말은 모든 영역에 다 쓰일 수 있지만, 여기에서 해양안전업무는 어느 정도 범위를 한정하여 바라볼 필요가 있습니다. 일반적인 안전의 개념보다는 다소 범위를 좁혀서 생각해야 그 의미를 정확히 파악할 수 있습니다.

해양안전 업무에 대한 이해를 돕기 위해 잠시 해양경찰

이 일하는 부서와 현장을 한번 살펴보겠습니다.

① 먼저, 바닷가에 위치한 파출소 및 출장소의 업무입니다. 여기가 해양안전업무를 수행하는 최일선 기관이라고 보면 되겠습니다.

주로 하는 업무 내용으로 선박 출항과 입항 관리, 항포구와 해안순찰 업무가 있습니다. 그리고, 해수욕장, 갯바위, 방파제 등 해안가 이용객 안전관리, 수상레저활동자 안전관리, 그밖에 대민 서비스 업무 등이 있습니다.

제가 앞에서 안전이라는 개념을 한정적으로 생각하라고 한 것은 해양경찰관서에는 해양안전업무를 담당하는 부서가 있는데, 그 이름이 '해양안전과'이기 때문입니다. 해양경찰서의 해양안전과에서 파출소의 업무를 관장하고 있습니다. '해양안전과'의 업무를 이야기할 때의 '해양안전'이라는 개념은 일반적인 해양안전이라는 말과 구분해서 볼 줄 알아야 합니다.

해양안전과에서 하는 업무에는 파출소를 관장하는 일이 있고, 또 선박교통안전관리, 수상레저업무 등이 포함됩니다.

② 다음, 해양안전업무에 속하는 것으로 선박교통 안전관리가 있습니다. 육상의 경찰이 도로교통의 안전관리를 담당하듯이 바다에서도 여객선, 유선, 도선, 낚시어선 등 선박에 대한 안전한 관리가 필요합니다. 특히 많은 사람이 승선하여 이동하는 '다중이용선박'이 사고가 나게 되면 피해가 막중할 수 있으므로 그에 대한 관리는 항상 빈틈없이 이루어져야 할 업무입니다.

③ 또, 해양안전 업무에 속하는 것으로 수상레저업무가 있습니다. 일반인들이 내수면이나 해수면에서 레저기구를 이용하여 물놀이를 즐기는 모습을 보았을 것입니다. 그것과 관련되어 해양경찰이 하는 일이 바로 수상레저업무입니다.

근거가 되는 '수상레저안전법'에서 그 내용을 크게 3가지로 구분하고 있습니다. 동력수상레저기구 조종면허시험/ 수상레저기구의 안전운항/ 수상레저사업에 관하여 규정하고 있습니다. 이 법령에 따라 해양경찰은 맡은 역할을 수행하고 있으며, 이를 통해 수상레저 활동에서 안전을 확보하고, 또 레저사업을 활성화해 나갈 수 있다고 봅니다.

④ 그밖에 해양안전업무와 연관이 있는 것으로 흔히 VTS라고 부르는 해상교통관제 업무가 있습니다. 현재 직제상 해양안전과 소속은 아니지만, 여기에서 말씀드리겠습니다.

해상교통관제시스템(Vessel Traffic Service System)은 레이더, VHF, AIS 등을 이용하여 항만 또는 연안해역의 선박교통안전과 효율성을 확보하고 해양환경을 보호하기 위하여 관제구역 내 통항 선박의 동정을 관찰하고 이에 필요한 정보를 제공하는 정보교환체제를 의미합니다.

1993년 포항항에 해상교통관제시스템을 최초 도입 이후 부산항 및 태안연안 등 전국 20개소에 설치 운영 중입니다. 그 시스템을 운영하는 곳이 해상교통관제센터인데, 명칭이 항만VTS와 연안VTS로 나누어집니다.

※ 명칭의 예

- ❍ 항만VTS : 부산항VTS, 인천항VTS, 동해항VTS ...
- ❍ 연안VTS : 경인연안VTS, 여수연안VTS, 태안연안VTS ...

해상교통관제 업무의 주요 내용은 다음과 같습니다.

◦항만 입·출항 선박 및 연안해역 운항 선박에 대한

해상교통상황 파악 및 정보제공

◦ 항로이탈, 위험구역 접근, 충돌위험 등으로부터 해양사고 예방하기 위한 선박교통관제

◦ 선박운항 현황, 도선, 예인선 운항계획 등 해상교통정보와 항만시설, 정박지 등 항만운영정보 제공

◦ 조류, 조석, 해상기상 등 선박 안전운항을 위한 항행안전정보 제공

◦ 해양사고 및 비상상황 발생시 신속한 초동조치 및 전파 등입니다.

관제 대상 선박으로는 '국제항해에 취항하는 선박, 총톤수 300톤 이상의 선박, 위험화물 운반선 등이 해당됩니다. (선박교통관제에 관한 법률 제13조)

(4) 정보 및 수사 업무가 있습니다.

정보와 수사에 대해서 자세히 설명하지 않아도 일반인들이 이미 어느 정도 이해하고 있는 분야라고 생각합니다. '경찰'하면 연상할 수 있는 대표적인 업무이기 때문입니다.

① 정보 업무는 해양경찰업무를 수행하는데 필요한 분야에 대한 정보를 파악하고 생산하는 일련의 활동을 하는 것입니다. 이 활동은 업무의 성격상 국가의 안전

과 사회공공의 안녕과 질서유지를 위한 목적에 연결되는 것입니다.

해양경찰이 처리하는 업무는 일상적인 것이 있고 예측하지 못한 채 갑자기 발생하는 것도 있습니다. 어떤 것이든 간에 처리해야 만 하는 경우에 특정 사안에 대한 내용파악이 필요합니다. 경찰기관은 업무의 성격상 위험하거나 긴급한 사고에 신속하게 대처할 수 있어야 하는데, 그에 대한 아무런 정보 없이는 불가능한 일입니다. 이렇게 볼 때 해양경찰의 정보활동은 꼭 필요한 것이라 하겠습니다.

정보활동의 범위를 확정할 수 없지만 범죄와 관련된 것, 정책과 관련된 것, 해상집회 및 시위와 관련된 것, 그 밖의 산업·기관·지역·현안문제 등에 관련된 것들이 대상이 될 수 있습니다.

해양경찰의 업무 특성상 국가나 사회의 질서유지나 국민의 안전을 위한 일을 하기 때문에 정보활동은 필수적이라 할 수 있습니다.

단순한 활동이 아니라 수집한 첩보를 바탕으로 분석하여 사용하기에 적합하게 정보보고서를 작성합니다. 그리고 필요한 곳에 배포하는 과정을 거칩니다. 정보활동의 모든 과정은 정확하고 적시성이 있으며 처리하려는 일의 목적을 달성할 수 있게끔 가치 있는 것이어야 합니다.

② 그다음 수사업무는 범죄행위에 대한 혐의를 밝히기 위하여 범인을 확보하고 증거를 수집·보전하며 범죄사실을 조사하는 활동을 말합니다.

바다에서 수사업무를 한다고 하면 해양·수산에 관련된 범죄 수사만 한다고 생각할 수 있으나 그렇지가 않습니다. 범죄의 종류를 중심으로 본다면 바다와 관련성을 갖는 게 많다고 할 수 있습니다. 그러나 넓게 본다면 바다에서 이루어지는 범죄, 또는 바다와 여러 부분에서 인과관계가 있는 범죄가 대상이 되므로 해양범죄로 한정할 필요는 없습니다.

따라서 해양경찰의 수사관들은 형사법과 특별법, 해사법규와 국제법 등을 다양하게 적용할 수 있는 지식을 갖추어야 합니다. 이에 더하여 해양에 관한 폭넓은 이해가 바탕이 되어야 수사업무를 원활하게 수행할 수 있습니다. 즉, 선박이나 바다에 대한 상식을 갖고 있으며 관련된 일에 대한 경험을 바탕으로 하고 거기에다 수사업무에 대한 역량이 갖추어지는 게 좋다는 말입니다. 그렇게 된다면 해양경찰만의 특화된, 수사의 전문성을 든든하게 정착할 수 있겠죠.

해양의 특성을 잘 알고 있으면서 수사업무도 잘하는 해양경찰수사관이 많이 양성될 때 진정한 전문성을 지닌 해양경찰 수사가 빛을 발하게 될 것입니다.

(5) 해양오염방제 업무입니다.

해양오염방제 업무는 평소에 해양오염을 방지하고 만약에 사고가 발생했을 때는 현장에서 제거하는 업무를 수행하는 것입니다.

해양경찰은 국가 해양오염방제정책을 수립하고 그 정책을 추진하는 기관입니다. 그에 따라 해양오염을 예방·점검하고 해양오염 조사를 시행합니다. 그리고 오염사고 발생 시에는 해양·해안오염 방제 총괄 지휘 등 해양오염사고 대응 활동을 주요한 임무로 하고 있습니다.

지금까지 해양경찰의 업무를 대략적으로 살펴보았습니다. 그렇지만 해양경찰 업무 전부를 말한 것은 아닙니다. 이 밖에 여기에는 빠져 있는 것도 있는데 경무, 홍보, 장비관리, 채용, 교육 등이 그것입니다. 이 업무들은 국민에게 직접 행해지기보다는 자체적으로 실행하는 일들이라고 하겠습니다. 그러나 이 업무가 기초가 되어 다른 해양경찰업무를 잘 이행할 수 있으므로 이 역시 중요한 일들입니다.

하지만 여기서는 해양경찰이 국민을 향해서 수행하는 업무를 중심으로 설명하다 보니 그 업무들이 빠지게 되었습니다.

해양경찰의 업무는 안전하고 깨끗한 희망의 바다를 만들기 위하여 우리 바다와 주변의 곳곳에서 오늘도 진행되고 있습니다.

3. 해양경찰 업무와 중요가치와의 관련성

* * *

여기에서는 해양경찰의 업무를 바탕으로 하여 관련된 몇 가지 중요한 개념을 연결하여 살펴보는 시간을 갖도록 하겠습니다. 앞에서 해양경찰이 하는 일을 기능별로 보았으니 이제는 전체적으로 어떤 의미를 지니고 있는지 이해를 돕기 위하여 시야를 확대하여 큰 틀에서 관찰해 보겠습니다.

먼저, 해양경찰 조직의 근거가 되는 정부조직법을 보면 "해양에서의 경찰 및 오염방제에 관한 사무를 관장하기 위하여 해양경찰을 둔다."(정부조직법 제43조 2항)고 규정하고 있습니다.

'해양에서의 경찰'은 앞에서 본 '해양경비부터 수사까지'에 해당하는 업무이고, '오염방제에 관한 사무'는 '해양오염방제' 업무임을 알 수 있겠죠.

다음으로 해양경찰의 중요한 가치 중의 하나로 삼고 있는 임무, 즉 해양경찰의 미션(Mission)과 연결시켜 보겠습니다. 해양경찰은 중요하게 여기는 가치를 정하여 조직운영의 바탕으로 삼고 구성원이 현장에서 업무를 수행하면서 실현하도록 하고 있습니다. 그 내용으로 미션, 비전, 핵심가치 등이 있습니다.

해양경찰의 미션은 '안전하고 깨끗한 희망의 바다'입니다. 한 문장이지만 여기에는 세 가지 의미가 포함되어 있습니다. 문장을 나누어 보면 '안전한 바다/ 깨끗한 바다/ 희망의 바다'로 표현할 수 있습니다.

위 조직법과 미션을 한 번에 연결하여 보면, 조직법에 규정된 '해양에서의 경찰'은 바로 미션의 '안전한 바다'와 연결될 수 있고, 또, '오염방제 사무'는 '깨끗한 바다'와 연결된다고 볼 수 있겠죠.

[표1] 조직법과 미션과의 관련성

[조직법] →	해양에서의 경찰,	오염방제 사무
	↓	↓
[미 션] →	안전한 바다,	깨끗한 바다

해양경찰이 활동을 제대로 함으로써 안전하고 깨끗한 바다를 만들 수 있고 나아가서 '희망의 바다'도 만들 수 있습니다. 그리고 그 결과는 국민에게 돌아간다는 것을 알 수 있을 겁니다. 그것으로 해양경찰의 업무의 중요성을 깨달을 수 있겠지요.

지금까지 해양경찰의 업무와 관련된 중요한 가치를 연결하여 전체적으로 넓게 살펴보았습니다. 복잡하고 다양한 업무를 짧은 문장으로 압축해 놓았지만 풀어서 연결하여 봄으로써 그 의미를 이해할 수 있었을 것으로 생각합니다.

이 시간을 통해 여러분들이 해양경찰이 하는 업무 내용을 잘 알게 되고, 역할의 중요성과 지향하는 가치도 함께 이해했으면 좋겠습니다.

4. 해양경찰 공무원의 특수한 권리

▼ ▼ ▼

이 시간에는 (해양)경찰 공무원과 관련된 내용을 현행법에서 어떻게 규정하고 있는지에 대하여 한번 살펴보도록 하겠습니다.

"해양경찰공무원이라는 용어가 있을까요?"
"물론 만들면 있겠지요. 그러나 공식적으로 법령이나 문서에 해양경찰공무원이란 용어는 없습니다. 이것은 경찰공무원 안에 포함됩니다."

국가공무원법에 나와 있는 용어에는 해양경찰공무원이라는 것이 없고, 경찰공무원 안에 해양경찰도 포함된다고 보면 됩니다. 공식적인 용어로 사용하려고 하면 해양경찰청에 소속된 경찰공무원이라고 보는 게 맞습니다. 그렇지만 우리가 일반적으로 이야기할 때는 그냥 의미가 통하게 해양경찰공무원이라고 할 수도 있겠죠.

여기에 대해서 근거법에 규정된 내용과 경찰공무원의 특수한 권리에 대해서 살펴보도록 하겠습니다.

우리나라 공무원 중 국가직으로 일하는 공무원에 관해 규정하는 법이 국가공무원법입니다. 국가공무원법에는 공무원을 두 가지 종류로 나누고 있습니다.

[표2] 국가공무원의 구분

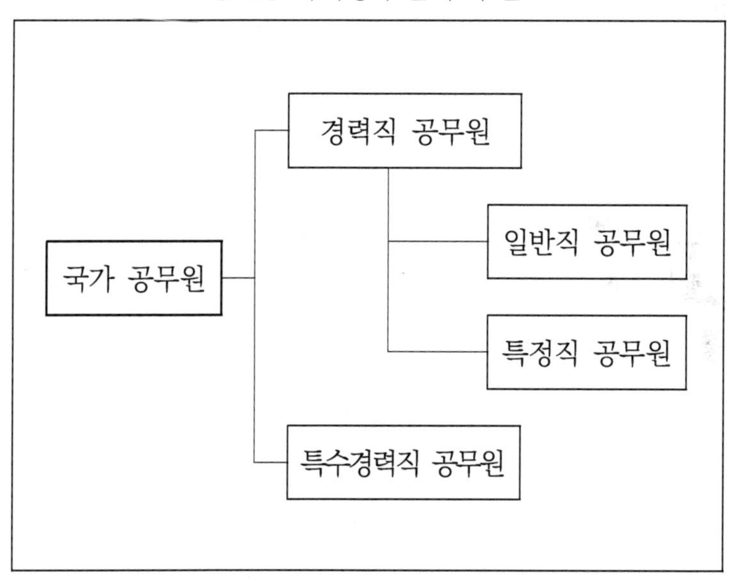

그것은 경력직 공무원과 특수경력직 공무원입니다.

경력직 공무원이란 실적과 자격에 따라 임용되고 그 신분이 보장되며 평생동안 공무원으로 근무할 것이 예정되는 공무원을 말합니다. 여기에 속하는 것으로 일반직과 특정직 공무원이 있습니다.

일반직 공무원은 기술·연구 또는 행정일반에 대한 업무를 담당합니다. 우리가 보통 '공무원' 하면 생각나는 공무원이 여기에 해당한다고 보면 되겠습니다. 9급~1급으로 나누어지고, 우리 주위의 관공서에서 많이 볼 수 있는 공무원들입니다.

특정직 공무원은 특수한 업무를 수행하는 공무원을 말합니다. 여기에는 법관, 검사, 외무공무원, 경찰공무원, 소방공무원, 교육공무원, 군인, 군무원, 헌법재판소 헌법연구관, 국가정보원의 직원, 경호공무원과 특수 분야의 업무를 담당하는 공무원으로서 다른 법률에서 특정직공무원으로 지정하는 공무원이 해당됩니다.

그리고, 특수경력직공무원이란 경력직공무원 외의 공무원을 말하며, 그 종류에는 정무직공무원과 별정직공무원이 있습니다.

이제 특정직공무원 중의 한 분야에 속하는 경찰공무원에 대해 살펴보겠습니다.

경찰공무원에 관하여 따로 규정하고 있는 법이 있는데 바로 '경찰공무원법'입니다. 이 법의 내용을 보면 앞부분에 경찰의 계급이 나와 있고, 경과가 나와 있습니다. 경과는 직무의 종류에 따라 구분한 것으로서 해양경찰은 해양경과, 수사경과, 항공경과, 정보통신경과, 특임경과 등으로 나누고 있습니다.(해양경찰청 소속 경찰공무원 임용에 관한 규정 제3조)

그 밖에 다른 내용도 있지만, 여기서는 경찰공무원의 특수한 권리에 관하여 알아보겠습니다. 경찰공무원법 제26조에는 "경찰공무원은 제복을 착용하여야 하고, 직무 수행을 위하여 필요하면 무기를 휴대할 수 있다."고 규정합니다. 이것이 다른 공무원과 비교하면 특수한 권리라고 할 수 있습니다.

먼저, 경찰 제복을 살펴보면 그 종류가 3종류인데요. 일반적으로 근무복, 기동복, 정복으로 나눌 수 있습니다.

근무복은 경찰관이 평소에 업무를 수행할 때 입는 옷입니다. 겉에 입는 점퍼가 있고 그 안에 입는 근무복이 있습니다.

기동복은 훈련을 하거나 작전을 수행할 때, 그 밖의 특수한 근무를 할 때 입는 옷입니다.

그리고 정복은 특별한 행사나 기념식 등을 할 때 입는 제복입니다.

우리가 영화나 드라마 등에서 경찰이 나오는 장면을 보는 경우가 있는데, 거기에서는 그런 것이 지켜지지 않고 있습니다. 거기서는 경찰이 근무복보다는 정복을 입고 나오는 것을 흔히 봅니다. 정복은 특별한 날에 입는, 자주 입지 않는 옷인데, 드라마에서는 정복을 더 많이 입는 것 같아요. 이것은 실상과 맞지 않은 부분이죠.

그중에서도 수사업무를 하는 사람들이 정복을 입는 경우도 자주 나오고요. 실무에서 수사를 담당하는 경찰관은 제복을 입지 않고 사복을 입고 근무를 하는데 말이죠.

그다음에 무기 휴대와 관련된 사항을 알아보겠습니다. 경찰공무원법에서 무기 휴대를 규정하고 있고, 경찰관직무집행법에서는 무기를 사용할 수 있도록 규정하고 있습니다. 그런데 이것을 잘못 이해하면 경찰관이 무기를 사용하는 것이 아무런 한계 없이 자유롭게 사용하는 것으로 생각할 수 있는데, 그렇지 않습니다.

그것은 법 규정(경찰관직무집행법 제10조의4)을 정확히 알고 있지 못하기 때문이라고 봅니다. 그 조문에는 무기를 사용할 때 상대방에게 '위해를 끼쳐서는 안된다'는 것을 명시하고 있습니다. 그 말은 무기를 사용해서 상대방의 생명을 해쳐서는 안 됨을 뜻하는 것입니다. 그것이 원칙입니다.

물론 거기에는 예외가 있습니다. 예외는 그 규정에서 단서조항으로 두고 있습니다. 그 내용을 법조문이 아닌 일반인이 이해하기 쉽도록 말씀드린다면, '어쩔 수 없는 상황, 피할 수 없는 상황'일 때는 무기를 사용하여 사람에게 위해를 끼칠 수도 있다는 것입니다.

※ 무기를 사용하여 사람에게 위해를 끼칠 수 있는 경우
(경찰관직무집행법 제10조의4 제1항)

1. 「형법」에 규정된 정당방위와 긴급피난에 해당할 때
2. 다음 각 목의 어느 하나에 해당하는 때에 그 행위를 방지하거나 그 행위자를 체포하기 위하여 무기를 사용하지 아니하고는 다른 수단이 없다고 인정되는 상당한 이유가 있을 때
 가. 사형·무기 또는 장기 3년 이상의 징역이나 금고에 해당하는 죄를 범하거나 범하였다고 의심할 만한 충분한 이유가 있는 사람이 경찰관의 직무집행에 항거하거나 도주하려고 할 때
 나. 체포·구속영장과 압수·수색영장을 집행하는 과정에서 경찰관의 직무집행에 항거하거나 도주하려고 할 때
 다. 제3자가 가목 또는 나목에 해당하는 사람을 도주시키려고 경찰관에게 항거할 때
 라. 범인이나 소요를 일으킨 사람이 무기·흉기 등 위험한 물건을 지니고 경찰관으로부터 3회 이상 물건을 버리라

는 명령이나 항복하라는 명령을 받고도 따르지 아니하면서 계속 항거할 때

3. 대간첩 작전 수행 과정에서 무장간첩이 항복하라는 경찰관의 명령을 받고도 따르지 아니할 때

어쩔 수 없는 상황에서 무기를 사용하여 상대방의 생명에 지장을 줄 수도 있다는 뜻인데, 이것은 어디까지나 예외적인 것입니다.

원칙은 '경찰관이 무기를 사용할 때는 상대방에게 위해를 끼쳐서는 안된다'는 것입니다. 이것이 정말 중요한 사항입니다.

경찰관이 사격훈련을 할 때 사용하는 표적지는 두 가지 모형입니다. 하나는 둥그렇게 생긴 것, 다른 하나는 사람의 하반신, 즉 다리 모양이 그려진 것을 사용합니다. 그런 표적지를 사용하는 이유는 경찰관이 사격을 할 때는 사람에게 위해를 끼쳐서는 안된다는 원칙을 지키는 것입니다.

대부분 중범죄를 저지른 사람을 체포하는 과정에서 무기를 사용하는 경우가 많습니다. 그럴 때 생명에는 지장을 주지 않으면서 약간의 위해를 끼칠 수 있는 정도로 사용해야 하는 것입니다.

여기서 경찰관의 사격과 비교할 수 있는 것이 군인들의 사격입니다. 군대를 갔다 온 사람들은 군인들이 하는 사격 표적지는 신체의 상반신이 그려져 있음을 알고 있죠. 그것은 경찰과 군인의 사격 대상이 다르다는 것을 나타내는 것이라 하겠습니다. 경찰은 우리 사회에서 일반인을 대상으로 하고, 군인은 적을 상대로 하여 전투를 위한 사격을 하는 것입니다.

물론, 경찰의 임무 중에도 적을 상대로 하는 경우도 있습니다. 유사시에 대간첩 작전이나 대테러작전을 수행하는 경우가 있는데, 국가안보와 관련된 작전은 적을 상대로 하기 때문에 상황이 달라지겠죠. 그때에는 개인화기 외에도 공용화기도 사용할 수 있도록 규정하고 있습니다.

그렇지만 평소에 경찰관이 국민을 상대로 하여 무기를 사용할 때는 신중하게 판단해야 한다는 것입니다.

이번 시간에 경찰관의 특수한 권리인 '제복착용, 무기휴대'를 살펴보았습니다. 그러면서 무기 휴대와 연결된 무기 사용까지도 이야기하였는데, 이것은 아주 중요한 내용입니다. 이것만 보아도 경찰업무가 다른 일반행정업무를 하는 것과는 차이가 있고 복잡하다는 것을 알 수 있겠죠.

경찰에게 이러한 권한이 주어져 있는데 이것을 목적에

맞고 안전하게 사용함으로써 경찰관으로서 역할을 다해야 할 것입니다.

이런 내용을 혼자 공부하는 경우에는 이해가 안 될 수도 있을 것입니다. 제가 경찰관의 경험과 이론을 연구하여 말씀드리니 경찰관이 되려는 사람은 이 부분을 알고 공부를 하면 이해가 빠르고, 나중에 경찰관이 되어서도 실무에서 적용할 줄 아는 사람이 될 수 있겠죠.

지금까지 해양경찰을 포함한 경찰공무원의 특수한 권리에 관하여 현행법이 규정하고 있는 내용을 중심으로 살펴보았습니다.

5. 해양경찰의 전문성

▼ ▼ ▼

해양경찰은 어떤 전문성을 가지고 있어야 할까요? 그것에 대하여 이야기해 보려고 합니다. 전문성이라는 것은 어떤 일을 할 때 평범한 상태를 넘어서 뛰어나게 처리하는 수준을 의미합니다. 또 그렇게 업무를 잘 처리하는 능력을 가진 사람을 전문가라고 하죠.

해양경찰의 전문성은 무엇일까요?

가장 간단하게 표현을 한다면 '해양 전문성 + 경찰 전문성'이라고 할 수 있습니다. 너무 간단한 표현이니, 좀 더 자세하게 그 내용을 살펴보겠습니다.

먼저 해양의 전문성은 지금까지 앞에서 제가 말씀드린 내용에 들어있습니다. '해양경찰이 무엇인지, 해양의 특성,

해양경찰 업무' 등에서 나왔던 해양과 관련된 내용은 여기에 속한다고 보면 됩니다. 이것은 바다에서 활동하기 위해서 알아야 할 지식과 닦아야 할 필요가 있는 기능들입니다. 해양경찰의 근무지가 되는 바다에 관련된 사항을 전반적으로 이해하고 선박을 이용하여 움직이는데 필요한 기술을 익혀야 하는 것입니다.

이 전문성은 해양을 환경으로 해서 일하는 사람들이라면 어느 수준 이상으로 갖추고 있어야 할 것이고, 해양경찰도 당연히 여기에 속한다고 할 수 있겠죠.

다음에 살펴볼 부분은 경찰 전문성입니다.

경찰 전문성을 경찰 일반에 관한 전문성과 해양경찰 전문성으로 나눌 수 있습니다.

먼저 경찰 일반에 관한 것은 경찰이 무엇인지에서부터 시작되겠죠. '경찰이 존재하는 이유, 어떤 일을 하며, 누구에게 도움을 주며, 무엇을 위해서 일을 하는가?'하는 것을 알고 있어야 합니다.

그리고 경찰업무를 수행하는 근거, 수단, 권한, 한계 등에 관한 전반적인 사항이 포함된다고 하겠습니다. 그것은 경찰작용에 관한 근거가 되는 법 집행에 관한 것, 경찰작용법, 경찰강제 등에 관하여 알아야 한다는 것입니다.

기본이 되는 법은 경찰관직무집행법인데, 그 내용을 정확하고 자세하게 알고 있어야 합니다. 그래야 자신이 하는 경찰업무의 근거와 정당성을 알게 됩니다. 이것이 국민들에게 부과되었을 때 어떤 결과가 나타날지에 대한 예측도 짐작하고 있어야 합니다.

그다음은 해양경찰의 전문성입니다.

해양경찰의 전문성은 육상경찰과 다른 분야, 해양경찰만이 할 수 있는 분야에서 찾아야 합니다. 해양경찰은 바다에서 활동하니까 바다와 관련된 전문성을 말하는 것이라고 생각해서는 안 됩니다. 그것을 일반적으로 장소적인 것에서 온다고 볼 수 있겠지만, 그렇게 본다면 앞에서 보았던 '해양 전문성'과 중복될 수 있으므로 정확히 파악해야 합니다.

해양의 전문성과 관련이 있긴 하지만, 그중에서도 해양경찰만이 할 수 있는 일이 바로 '해양경찰 전문성'이라 할 수 있습니다.

여기에 해당하는 일에 어떤 것이 있을까요?

바로 해양경찰이 현장에서 업무를 집행할 때 주로 사용하는 것과 관련된 것입니다. 그런데 그 내용은 대부분 업무의 근거가 되는 법령 속에 들어있습니다. 법령 중에는 해양과 관련된 일반적인 것도 있고, 해양경찰과 관련된 것도 있습니다. 그중에서 해양경찰과 관련된 것, 해양경찰 작용과 관련된 것이 그런 내용을 띠고 있습니다.

보통 해양경찰의 전문성 하면 업무를 수행하는 기술을 떠올리는 것이 일반적일 것입니다. 그런데 경찰관이 평소에 하는 일도 찾아보면 많은 부분이 법령속에서 나온 것임을 알 수 있습니다. 그렇기 때문에 먼저 그 근거가 되는 법령을 잘 알고 있어야 합니다.

그다음에 법조문에 나오는 내용을 실제로 현장에서 수행하기 위해서는 그 업무를 적용하는 기법을 익혀야 할 것입니다. 교육이나 훈련을 통해서 배우고 연습하여 원활하게 집행할 수 있도록 숙달시켜야 합니다.

해양경찰이 하는 경찰작용 중에는 그 내용이 다 법령 속에 들어있다고 보면 됩니다. '해양경비법, 수상레저안전법, 낚시관리 및 육성법, 해사안전법, 연안사고 예방에 관한 법률, 수상수색구조에 관한 법률, 선박의 입항 및 출항 등에 관한 법률, 해양환경관리법....등' 많은 법이 있습니다.

이러한 법들에 해양경찰의 작용에 관한 사항들이 들어있기 때문에 이 부분을 잘 알아야 해양경찰의 전문성을 닦을 수 있습니다.

또, 내가 어느 부서에서 근무하느냐에 따라 꼭 알아야 할 법이 있습니다.

만약에 파출에 근무한다면 '파출소 및 출장소 운영규칙'은 당연히 알고 있어야 하고, 그 밖에 어선안전조업법이나 수상레저안전법, 낚시관리 및 육성법, 유선 및 도선 사업법 등을 알아야 합니다. 그래야만 파출소에서 근무하며 수행하는 업무의 전문성을 갖출 수 있습니다. 그밖에 다른 부서에서 일하는 사람들도 마찬가지로 해당 업무와 관련된 법령을 당연히 알고 있어야 겠죠.

또, 자신이 수행하는 업무의 대상이 누구냐에 따라서 알아야 할 법도 있습니다.

함정에서 경비 활동을 하면서 불법조업 외국 어선을 대상으로 단속하는 일을 할 때는 EEZ어업법(배타적경제수역에서의 외국인어업 등에 대한 주권적 권리의 행사에 관한 법률)을 비롯한 각종 해양주권을 수호하는 법령을 알고 있어야 하겠죠.

그런 사항들을 알고 있고 실제로 사용할 수 있어야 전문성이 갖추어졌다고 할 수 있고, 제대로 된 해양경찰이라 할 수 있습니다. 모든 법을 다 알면 좋겠지만, 그러기에 어려운 것이니까, 우선은 해당 업무와 관련성이 있는 것부터 숙지하고 나머지는 필요할 때 찾아보면 되겠죠. 그런 법령과 규정에 따라 경찰관으로서 해야 할 일들을 잘 습득해서 필요시에 자신 있게 사용할 수 있어야 합니다.

여기에서 질문 하나를 해 보겠습니다.

"육상에 경찰이 있는데 해양에도 경찰을 두는 이유는 무엇일까요?"

만약에 육상에 있는 경찰이 해양에서도 법 집행을 잘 해낸다면 해양경찰이 필요 없겠죠. 그런데, 현실적으로 볼 때 육상의 경찰이 법 집행을 하는데 사용하는 전문성이 바다에 와서는 제대로 해낼 수 없기 때문에 해양경찰이 있는 것입니다. 해양에서는 해양경찰만이 할 수 있는 전문성이 있으므로 해양에도 경찰을 따로 두고 있는 것입니다.

예를 들어 육상의 경찰이 도로교통법을 가지고 교통단속을 하는데, 그 법령을 해양경찰이 꼭 알아야 할 필요성은 낮다고 할 수 있겠죠. 해양경찰은 해상에서 교통을 단속하기 위하여 필요한 해사안전법이나 선박입출항법 등을 잘 아는 게 더 중요하고, 그 업무를 잘 수행할 수 있는 전문성을 갖추고 있으면 되는 것입니다.

이렇게 경찰이면 꼭 알아야 할 일반적인 전문성과 해양경찰만의 전문성, 그리고 바다에서 활동할 때 필요한 특수한 전문성이 다 필요하겠죠.

해양경찰이 되고 싶어서 해양경찰 시험을 준비하는 사람들은 관련 내용을 하나하나 배워서 쌓아두어야 합니다. 수험생이 준비하는 시험과목 속에도 그런 내용들이 들어있습니다. 그러니까 공부를 하면서 앞으로 자신이 시험에 합격해서 경찰관이 된다면 그때 사용할 것이라고 생각해야 할 것입니다. 그렇지 않고 시험에 합격하기 위한 하나의 수단이라고 생각하면 나중에 경찰관이 되었을 때 또다시 공부를 해야 하겠죠.

해양경찰의 전문성을 갖추기 위해서 차근차근 준비한다면 국민에게 떳떳한 법 집행을 할 수 있고 스스로 해양경찰관으로서 자부심을 가질 수 있게 될 것입니다.

"해양경찰의 전문성은 해양경찰을 존재하게 하고 유지하는 무형의 자산이며 버팀목이다!"

6. 해양경찰의 위상

▾ ▾ ▾

해양경찰의 현재의 모습, 해양경찰의 위상(실상)은 객관적으로 어떻게 나타날까요? 해양경찰의 현재 위치에 대해서 여러분과 함께 살펴보려고 합니다.

해양경찰청은 1953년에 창설이 되어서 2021년 기준으로 68년의 역사를 가진 대한민국의 중앙행정기관이며 법집행기관입니다.

해양경찰이 창설되던 때의 상황을 잠시 살펴보겠습니다.

1945년 8·15해방 후 1945년 9월 연합군이 일본에 대하여 해역제한선의 개념을 지닌 맥아더라인 선포하였습니다. 그런데도 일본어선들이 그 선을 넘어 우리나라 해역에 들어와 불법조업 하는 사례가 많았습니다. 이에 이승만 대통령은 해군에게 통제와 나포를 담당하게 하였습니다.

그 후에 미국과 일본 간에 평화조약이 체결되어 1952년 4월 25일자로 맥아더라인이 철폐되었습니다.

1952년 1월에 이승만 대통령이 평화선이라 불리는 '인접해양주권선언'을 선포하였습니다. 그리고 1953년 12월 23일 해양경찰대를 만들어 평화선 경비업무를 맡겼습니다. 이것이 해양경찰이 창설하게 된 역사적 사실입니다. 해양경찰은 내무부 치안국 경비과에 소속된 경찰관으로서 해양경비업무를 시작하게 되었습니다. 그때 정원이 658명, 경비정 6척, 7개 기지로 시작하였습니다.

[표3] 해양경찰대 기지

기 지	위 치
해양경찰대 기지	경상남도 부산시
해양순찰반 기지	경기도 인천시
	전라북도 군산시
	전라남도 목포시
	경상북도 포항시
	강원도 강릉군 묵호읍
	제주도 북제주군 제주읍

※ 해양경찰대 편성령 제3조~제5조

그 뒤로 해양경찰조직은 몇 차례 소속의 변경을 가져왔

습니다. 그 당시의 상황에 맞추어 업무를 어느 부처에 배속시키는 것이 좋을지에 따른 변화의 시도가 아니었을까 생각합니다. 소속의 변경은 수차례 있었지만, 그 기본바탕은 크게 바뀌지 않았다고 할 수 있습니다.

이 시간은 해양경찰의 현재의 위상을 살펴보기로 했으니까, 관련 내용에 관한 숫자를 좀 살펴보겠습니다.

처음 시작할 때 경찰공무원 숫자가 658명이었던 것이 40년이 흐른 1993년에는 3,815명, 2000년에는 5009명, 그리고 현재는 약 11,000명을 넘기고 있습니다.

경비정 6척으로 시작했던 것이 지금은 경비정 354척, 항공기 25대를 보유하고 있습니다. 또, 2021년 세출예산이 1조 5천 4백억 원을 사용하는 조직으로 성장하였습니다.

[사진1] 묵호기지대와 동해해양경찰서

↑ 묵호기지대(1950년대)
동해해양경찰서(현재) →

현재 우리나라 중앙행정기관을 보면, 18개의 부가 있고, 18개의 청이 있습니다. 해양경찰청이 보유한 인력이나 재정의 규모는 18개 외청 중에 상위에 속하는 위상을 나타내고 있는 것입니다.

물론 단순한 숫자만으로 조직의 위상을 말할 수는 없습니다. 그러나 해양경찰은 실제로 많은 발전을 거듭해 왔다고 할 수 있습니다. 현장에 적합한 함정과 사용하기에 편리한 장비들을 개발하여 사용하고 있고, 해양경찰업무에 적합한 인력들을 많이 채용해서 각 기능에서 제 역할을 다하고 있습니다.

조직의 위상을 나타내는 중요한 사항은 그 조직의 구성원들이 누구이며, 어떤 자세로 일을 하고 있는지가 보이지 않는 큰 요소라고 생각합니다. 해양경찰관이 되려는 사람은 자신의 역할이 무엇인지 잘 알고 미리부터 그것을 준비하는 사람이어야 한다고 생각합니다.

현재 해양경찰청에서는 여러 분야에서 실력을 갖춘 인력을 채용하고 실무에 맞는 교육 훈련을 시켜 현지에 배치하고 있습니다. 그리고 기존의 경찰관들은 다양한 현장업무를 경험함으로써 위기상황에 대처능력을 키우고 각 분야의 전문가로 활약하고 있습니다.

표면적인 조직의 위상과 내면에 잠재된 구성원들의 능력이 그 조직의 힘을 나타내는 중요한 지표가 됩니다. 이 두 가지를 포함하여 날로 발전하는 해양경찰의 위상이 조직의 바람직한 비전을 제시할 것이라고 생각합니다. 많은 뛰어난 젊은이들이 함께 그 꿈을 펼쳐갈 기회를 잡았으면 좋겠다는 기대를 해봅니다.

현재 해양경찰의 위상은 대한민국 중앙부처의 어느 청에 못지 않는 힘을 가지고 있는, 일할 만한 조직이라고 생각합니다. 그런데, 조직이 아무리 좋게 보여도 자신의 적성에 맞지 않는다면 억지로 지원할 수는 없겠죠. 자신의 뜻이 해양경찰의 조직의 위상에 맞는다고 생각한다면 한번 도전해서 제 역할을 해 보는 것이 좋을 것 같습니다.

현재의 상태로 발전해 간다면 해양경찰의 위상은 앞으로도 계속해서 상승하는 방향으로 나아 갈 것으로 예측할 수 있습니다. 시간이 흐를수록 든든한 조직으로 성장하여 국가에 꼭 필요한 중추 기관이 되기를 바라겠습니다.

7. 해양경찰의 대표 상징표시

▼ ▽ ▼

'해양경찰' 하면 떠오르는 표시가 있나요?

이 시간에는 해양경찰을 표시하는 상징물, 해양경찰을 나타내는 표시 또는 표지에 대해서 살펴보도록 하겠습니다.

해양경찰청이 어떻게 생겼는지 궁금해하는 분도 계시죠. 그럼 먼저 해양경찰청에 대한 이야기를 해 보도록 하겠습니다.

해양경찰청은 인천의 송도에 자리 잡고 있습니다. 그곳으로 가는 길은 송도신도시로 건너가는 고가를 타고 넘어갑니다. 해양경찰이 처음 창설될 때는 그 기지가 부산에 있었습니다. 그런데 1979년도에 본부를 인천으로 옮겼습니다. 그리고 시간이 많이 지난 후에 건물이 오래되어서 송도에 새 청사를 짓고 2005년도 말경에 현재의 위치로 이전해

왔습니다.

해양경찰청은 우리나라 중앙행정기관 중 유일하게 인천에 있습니다. 이곳에서 해양경찰이 수행할 업무에 관한 정책을 만들어 내고 하위기관에 넘겨주어서 집행하게 하는 일을 합니다. 그리고 거기에 필요한 예산을 수립하고 요구하는 일과 업무수행에 관련된 법령을 제정하고 현실에 맞게 바꾸는 일 등, 조직 전체를 운영해가는 총괄 기관이라고 보면 되겠습니다.

[사진2] **해양경찰청사 및 마크**

해양경찰청 청사 외부를 보니 마크와 로고를 확인할 수 있죠. 첫 번째 해양경찰의 상징표시로 살펴볼 것이 바로 해

양경찰 마크입니다. 해양경찰 엠블럼이라고도 하고 조직을 표시하는 것이기 때문에 영어로 이라고 하기도 합니다.

여기에 나타나 있는 동물이 바로 흰꼬리수리입니다. 수리류, 수리과에 속하는 우리나라의 강가나 해안가에 서식하는 텃새입니다. 흰꼬리수리는 몸에 비해 날개가 아주 긴 특징을 가지고 있습니다. 이 큰 날개가 의미하는 것은 국민을 보호하고 사고가 발생했을 때 신속하게 구조하는 것과 적극적으로 국민에게 봉사하는 뜻이 담겨있습니다.

이 흰꼬리수리를 형상화한 중앙에 둥그런 방패는 해양경찰이 지향하는 가치를 표현한 것이라고 합니다. 그리고 그 안에 있는 태극문양은 국가와 국민을 나타낸 것입니다.

해양경찰은 이처럼 흰꼬리수리를 바탕으로 해서 상징표시를 나타내고 있는데, 이것과 유사한 동물을 사용하는 기관을 잠시 살펴보겠습니다.

먼저 경찰청 상징표시입니다. 경찰청은 참수리를 사용해서 마크를 만들었는데, 이 참수리도 흰꼬리수리와 함께 천연기념물로 지정되어 있습니다. 날개 앞쪽과 꼬리 부분이 흰색으로 되어있죠.

다음은 미국에서 국조라 불리는 흰머리수리입니다. 이것은 미국의 국가문장으로 사용하고 있는 수리입니다. 미국의 국가기관에서 이 문양을 사용하는 것을 본적이 있을 것입니다.

해양경찰은 상징표시를 활동하는 여러 곳에서 표출하고 있습니다. 대표적으로 청사, 함정, 항공기, 순찰차, 경찰관이 입고 있는 제복류에 표시되어 있죠. 그리고 각종 장비나 물품, 경찰관이 소지하는 공무원증 안에도 이 마크가 새겨져 있습니다. 이처럼 해양경찰관들에게는 이 마크가 중요한 역할을 하고 있고 또 국민들에게 이 표시를 나타내는 것이 해양경찰의 존재를 나타내는 것이라고 할 수 있겠습니다.

바다에서 사고를 당했거나 위험에 처해 있는 사람들이 구조의 손길을 기다리면서 이 마크를 발견하는 순간 얼마나 안심하게 될지 생각해 보면 이 마크는 안도의 마크가 될 거로 생각됩니다. 또, 때로는 범법행위를 하려는 사람들에게는 이 마크를 발견하는 순간 그 일을 하지 못하게 제지하는 역할도 할 수 있겠죠.

이 날개를 활짝 편 흰꼬리수리를 형상화한 상징표시는 해양경찰관들에게는 익숙해진, 그 임무와 함께 적응된 표시입니다. 이 표시는 해양경찰이 국민을 보호하고 적극적으로 봉사를 펼쳐나가는 의미를 새기게 하고 국민들에게는 이러한 해양경찰의 역할을 인식하는 것으로서 작용한다고 하겠습니다. 지금까지 해양경찰을 상징하는 표시와 관련된 의미에 대하여 알아보았습니다.

8. 해양환경의 특성

▼ ▽ ▼

해양경찰과 관련이 있는 가장 중요한 장소는 바로 바다이겠죠. 주 활동 무대이기 때문입니다. 지금부터 바다(해양)는 어떤 특성을 가지고 있는지 살펴보겠습니다.

해양의 성질, 해양의 특성은 아주 다양하게 나타나는데, 그중에서도 해양경찰의 업무와 관련지어서 해양의 특성을 알아보도록 하겠습니다. 그래야 해양경찰의 업무 내용과 거기서 일하는 경찰관에 대해서도 어느 정도 이해할 수 있을 것입니다.

바다는 해양경찰이 근무하는 환경이 되기 때문에 해양의 특성을 해양환경의 특성이라 부르도록 하겠습니다. 여기에 나오는 사항들을 육상과 비교해 보면 좀 더 이해가 잘 될 것으로 생각합니다.

자, 그럼 해양환경의 특성에 대하여 같이 한번 볼까요.

(1) 바다는 쉬지 않고 계속해서 움직인다.

우리가 육지에서 생활하면서 땅이 움직인다고 느끼지는 않죠. 그런데 바다는 자체 운동성, 바람이나 파도, 조류의 영향으로 인해 계속 움직이고 있습니다. 그래서 그 위에서 활동을 하고 있는 사람들은 적잖은 영향을 받을 수밖에 없습니다. 이렇게 바다가 움직이는 것을 좋게 말하면 아주 역동적이라고 말할 수 있겠지만, 실상은 거기에서 일하는 사람들은 불안정한 상태에서 일을 하고 있다고 보면 되겠습니다.

경찰업무를 하면서 사고가 발생한 현장을 보존해야 할 필요가 있는데 바다가 계속해서 움직이니까 거기에 있는 물체들이 따라서 움직이고 표류하여서 현장을 그대로 유지하기가 상당히 힘든 상태가 됩니다.

육상의 경우에는 그렇지 않겠죠. 사고가 발생한 자리에 있던 물건들을 누가 고의로 움직이지 않는 한 그대로 현장에 있어서 상대적으로 보존이 수월할 것입니다.

해상에서는 어려운 여건에서도 그 일을 하는 해양경찰관

들은 그 상황을 그대로 받아들이고 있습니다. 왜냐하면 해양의 특성이 그렇기 때문에 업무를 포기할 수 없고 수용하는 것이죠. 새로운 기술이 개발된다면 좋겠지만, 그전에는 현재 상태에서 최선의 방법으로 적응하고 있습니다. 이처럼 바다는 때로는 장애를 주고 있지만 거기에서 활동하는 인간들은 그것을 개척하거나 그것이 어렵다면 적응하여 생활을 해야 하는 것입니다.

(2) 해양에서는 현장 접근이 쉽지 않다.

해양경찰이 바다에서 사고가 났을 때 현장으로 접근하기 위해서는 주로 함정을 이용합니다. 그런데 선박은 현장까지 접근하는데 걸리는 시간이 육상의 차량에 비해 아주 느린 것이 일반적입니다. 그것은 해양의 특성에서 오는 현상이라 할 수 있습니다. 선박의 이동 속도가 어느 정도인지 예를 들어보겠습니다.

바다에서 고속여객선이라고 불리는 선박의 속도는 15노트(knot) 이상으로 항해하는 것을 말합니다. 15노트는 시속 약 28km의 속도입니다. 바다에서는 빠른 편이지만 수치로만 보았을 때는 그렇지가 않습니다.

해양경찰 함정이 긴급한 일이 발생하여 현장을 향해 신속하게 약 30노트(시속 약 55km)로 간다고 하여도 그것은 육상의 구조기관이 현장에 접근하는 속도보다 많이 떨어지는 것입니다.

그리고 육상의 차량은 도로 사정만 좋다면 현장까지 얼마든지 빠른 속도로 갈 수 있죠. 해상에는 도로가 없고 많은 장애물도 존재합니다. 어민들이 깔아놓은 그물, 보이지 않는 곳에 잠재된 암초, 사고가 난 주위에는 떠다니는 표류물, 부유물 등이 있고, 오염사고인 경우에는 오염물질을 헤치고 현장으로 가야하기 때문에 상당한 어려움이 존재합니다. 이러한 현상이 일어나는 것은 육상과는 다른 해양만의 특성에서 오는 것입니다.

(3) 환경적 조건이 아주 다르다.

우리가 차를 타고 어디로 간다고 할 때 별다른 준비가 없어도 큰 문제 없이 떠날 수가 있습니다. 그러나 해상에서 선박을 타고 어디로 갈 때는 사전에 준비가 반드시 필요합니다.

예를 들어 수상레저기구를 이용하여 어느 바다로 나간다면 준비는 필수입니다. 자신의 안전과 직결되기 때문이죠. 그전에 사용한 후에 보관해 둔 것이 잘 관리되고 있는지 점검해야 하고, 이번에 사용할 연료가 충분한지 확인하고 없으면 보충해야 하고, 장비들을 점검해야 합니다.

만약에 바다로 나가서 어려운 일이 생겨서 육지와 연락을 해야 할 때 장비가 작동하지 않는다면 더 큰 위험에 빠질 수 있습니다. 그밖에 거기서 사용할 음식물이나 음료 등을 미리 구입하여 실어두어야 합니다. 한번 바다로 나간 후에는 그런 것을 준비할 수가 없는 것입니다. 그리고 그런 것들이 다 준비되었다고 하더라도 현장의 기상이나 조석, 지역의 특성까지도 알고 있어야 비로소 어느 정도 준비가 되었다고 할 수 있을 것입니다.

이처럼 육상과 해상의 환경적 조건은 아주 큰 차이가 있는데, 관련된 두 가지 사고 사례를 들어보겠습니다.

첫 번째, 어민이 어선을 타고 혼자 조업하러 나갔다가 사고를 당한 경우입니다. 홀로 바다로 나갔는데 나중에 보니 사람은 보이지 않고 빈 배만 발견되었습니다. 그 어민은 오랫동안 혼자서 조업을 문제없이 해왔기 때문에 평소와 같이 작업을 했을 것입니다. 그런데 도중에 어떤 이유에서인지는 몰라도 사고가 발생한 것입니다. 같이 일한 사람이 있거나 근처에서 그 장면을 목격한 사람이 있었다면 사정을 알 수 있겠지만, 더군다나 증거를 찾을 수 있는 시설이 없는 바다에서는 안타까운 일이 되고 맙니다.

두 번째, 바다에서 방향감각을 상실해서 사고를 당하는 경우입니다. 특히 서해의 경우에는 해안에서 해산물을 채취하는 사람들이 많이 있습니다. 물이 빠지고 들어오는 거리가 멀기 때문에 사전에 그것에 대한 상식이 있어야 하는데 잘 모르거나 미처 대응하지 못하는 사람들이 있습니다. 날씨가 좋지 않거나 안개가 끼거나 또는 야간에 물이 어느 정도 들어올 때 어느 쪽이 바다인지 육지인지를 알지 못해 사고를 당하는 것입니다.

두 가지 경우는 그 장소가 육지가 아닌 바다이기 때문에 나타날 수 있는 사례라고 할 수 있겠죠.

(4) 해양에서는 예측가능성이 떨어진다.

바다에서는 어떤 활동이나 일을 할 때, 작업이나 공사 등을 실시하는 경우에 애초에 계획했던 대로 일이 순순히 진행되기가 쉽지 않습니다. 실제로 들어가는 인력, 자재, 비용, 기간 등이 육지보다 훨씬 더 많이 소요될 수 있다는 점입니다. 거기에는 어디에 잠재되어 있을지 모르는 불확실한 요인들이 존재하므로 예측이 쉽지 않다는 것입니다.

이뿐만 아니라 해상에서는 기상여건을 예측하기가 어려운 경우도 있습니다. 그것은 바닷가에서 너울성 파도가 갑자기 발생하여 희생당하는 경우입니다. 그리고 이안류가 발생하여 해수욕객이 깊은 곳으로 떠밀려가는 사례도 있습니다. 이것은 원인을 예측하기 어려운 해류가 작용하여서 일어나는 현상입니다. 이러한 이상기상 현상을 예측하기란 쉽지 않은 일이죠.

(5) 업무처리 여건이 좋지 않다는 것입니다.

어떤 일을 할 때 같은 조건이라도 육상보다 해상에서는 업무처리를 하기가 어렵습니다. 육상에서처럼 안정된 기반 위에서 하는 것이 아니라 움직이는 바다 위, 선박에서 일을 하기 때문이죠. 그리고 장비 이용면 에서도 제대로 기능이 발휘되지 않는 경우도 있습니다. 무전기, 핸드폰이 교신되지 않는 지역도 있습니다.

또 여러 가지 기반 시설을 설치할 수 없는 환경입니다. 해상범죄가 발생해서 증거를 찾으려고 해도 CCTV가 설치되지 않아서 증거수집이 어려울 때가 있습니다.

또, 해상의 선박에서 작업하던 사람 중에 환자가 생겼을 때나 선박에 고장이 발생하는 경우에 신속한 처리가 어렵기도 합니다. 그럴 때는 바다에서 임시조치를 취한 다음에 육지로 이동해서 치료를 하거나 선박 수리를 완벽하게 하기도 합니다.

위에서 살펴본 것처럼 바다에서는 육상에서 할 수 있는 일을 똑같이 하기에는 여건이 충분하지 못하다는 것을 알 수 있을 것입니다. 그러나 바다에서 활동하는 해양경찰은 그러한 어려움 속에서도 그것을 수용하고 자신감 있게 일을 해내는 사람들입니다. 그러기 위해서는 모험심, 도전정신, 용기 등이 필요하다고 하겠습니다.

그렇다고 모든 어려운 상황에 아무런 주저도 없이 무조건 감내하는 것은 아니고, 할 수 있는 조건에서 최대한 그 능력을 발휘하는 것입니다.

그리고 한편으로는 해양환경의 특성을 자세히 파악하여 거기에서 활동하는데 좀 더 편리한 기술을 지속적으로 개발하여 이용하는 노력도 해나가고 있습니다.

무엇보다 해양의 특성을 잘 알고 상황에 맞게 활용하는 자세는 바다에서 일을 잘 수행할 수 있는 바탕이 되는 요소이므로 각별한 이해가 필요하다고 하겠습니다.

〈꿈꾸는 자의 해양리더십 참조함〉

9. 해양경찰과 경찰공통의 목적, 그리고 법 집행

▼ ▽ ▼

해양경찰은 대한민국의 국가경찰이기 때문에 경찰일반에 관련되고 경찰 공통에 관련된 내용이 적용됩니다.

그래서 해양경찰은 해양경찰에 관련된 내용도 잘 알고 있어야 되지만, 경찰 공통에 관련된 내용도 알고 있어야 되는 것이죠.

경찰의 목적은 한 사회, 한 국가에서 공공의 안녕과 질서를 유지하기 위해서 존재하는 것입니다. 이러한 목적을 달성하기 위해서 경찰이 있고, 그 경찰에게는 경찰권이 주어지고, 또 경찰관 개인에게는 경찰권을 행사하기 위한 권한과 권리가 주어지는 것입니다.

'사회 공공의 안녕'이라는 것은 사회구성원인 국민이 신체, 생명, 재산에 대해서 어떠한 침해나 위해도 받지 않는 상태를 의미하는 것이죠.

또 '사회 공공의 질서'라는 것은 일반적인 사회생활이 정상적으로 행해지고 있는 상태를 의미하는 것입니다.

경찰이 사회 또는 개인에게 발생하는 여러 가지 위해나 장해를 제거함으로써 이러한 사회 공공의 안녕과 질서를 유지할 수 있겠죠.

어느 사회이든 이러한 사회 공공의 안녕과 질서를 침해하고 위태롭게 하는 요소들이 많이 발생하기 때문에 경찰은 그 위태로운 상태를 사전에 예방하고 또 그러한 상황이 벌어졌을 때 사후에 진압하는 역할을 하는 것입니다. 이러한 경찰의 목적을 달성하기 위해서는 그 근거가 되는 법률이 반드시 존재해야 되겠죠.

그렇지 않으면 경찰의 역할이, 경찰의 작용이 불법적인 것이 될 것이고, 또 국민의 자유와 인권을 침해할 수 있는 소지가 있을 수 있겠죠. 경찰의 목적을 달성하기 위해서 필요한 것이 바로 경찰작용입니다. 법률에 의해서 주어진 경찰의 권한 내지는 목적을 달성하기 위한 수단이 될 수 있겠죠. 일반통치권에 기초해서 국민에게 명령하고 강제하는 권력작용이라 하겠습니다. 물론 이것은 아주 최소한도로 사용되어야 한다는 한계가 분명히 존재하고 있습니다.

좀 딱딱한 내용이 될 수 있겠지만 경찰작용에는 강제집행과 즉시강제가 있습니다.

강제집행이란 명령으로 부과된 의무를 이행하지 않을 때 들어가는 강제행위입니다. 그리고 즉시강제는 눈앞에 급박한 경찰상의 장해가 발생했을 때 의무를 부과할 시간적 여유가 없거나 성질상 의무 부과로 목적 달성이 어려울 때 경찰관이 직접 실력을 행사해서 필요한 상태를 실현하는 작용이라고 보면 되겠습니다.

강제집행은 의무를 이행하지 않은 사람에게 그 의무를 이행하도록 절차를 거치게 하는 작용이지만, 즉시강제는 상황이 다르죠. 급박한 상황이 갑자기 발생했을 때 시간적 여유가 없는 등의 사유 때문에 경찰이 직접 그 상황을 해결하는 것입니다.

그것에 대한 근거가 앞에서 살펴보았던 경찰관직무집행법에 나와 있는 여러 가지 조항들이었습니다. 그 근거를 잘 숙지해서 업무를 집행하는데 조금의 차질도 없어야 할 것입니다.

해양경찰이 수행하는 업무의 기본은 바로 '법을 집행하는 것이다.'라고 보면 됩니다. 우리가 느낌상 일상적인 업무를 하는 것처럼 보이더라도 그 바탕을 찾아보면 결국은 법률을 집행하는 것이거든요. 해양경찰이 집행하는 법률을 보면 주로 해사법규가 많이 있죠. 해사법규에는 일반적인 것이 있고, 해양경찰과 직접 관련이 있는 해사법규가 있습니다.

먼저 알아야 할 것은 해양경찰과 직접 관련이 있는 법규이고, 그다음에 해양일반과 관련된 법규도 알고 있어야 됩니다. 그것은 일반적인 해사법규를 이행하는 사람들이 그 법규를 어겼을 때 벌칙을 적용해야 할 부분이 있다면 그 집행을 해양경찰관이 해야 하므로 그렇습니다.

그리고 업무를 하다 보면 해사법규 외에도 다른 일반적인 법률을 적용해서 업무를 할 때도 있고 형사법규를 적용하는 경우도 있습니다.

바다라고 해서 꼭 바다에 관련된 법률만 적용하게 되는 것이 아니라, 그 범위를 넘어서서 범법자들이 형법범인 경우가 있거든요. 바다에서도 육상에서 이루어지는 똑같은 범죄행위가 일어나고 있습니다.

절도, 강도, 살인 등 이런 법규를 어기는 일들이 일어나기 때문에 그것과 관련된 형사법을 잘 알고 있어야 되겠죠.

여기서 우리가 한 가지 더 살펴보아야 할 것이 해양경찰이 사용하는 법규는 국제법적인 성격을 가진 것이 상당히 있다는 점입니다. 해양은 누구나 자유롭게 이동할 수 있고 우리나라의 선박이 외국에도 갈 수 있고, 외국 여러 나라의 선박들이 우리나라에도 들어올 수 있는 그런 환경에 있습니다.

그렇기 때문에 해양을 이용하는 선박들을 대상으로 전 세계가 공통적으로 지켜야 할 내용들을 합의하고 지키기 위하여 세계적인 규범으로 만들어 놓은 것이 많이 있죠. 국제법에 찬성한 나라들은 자기 나라의 국민에게 이런 상황들은 지켜야 된다고 국내법으로 수용하여 법을 만들어서 집행하고 있는데, 우리나라도 예외는 아닙니다.

그래서 해양경찰이 법 집행을 하는 내용을 들여다보면 일반적으로는 형사법규와 해사법규에 대해서 잘 알고 있어야 하고, 그 외의 개별법에 대해서도 잘 알고 있어야 하겠습니다. 그리고 우리나라의 국내 개별법 중에는 국제법적인 성격을 바탕으로 만들어진 법도 많이 있기 때문에 그러한 내용의 기초가 되는 사항들도 알고 있어야 한다는 점을 말씀드립니다.

해양경찰을 잘 모르는 사람들은 해양경찰은 바다에서 배를 타면서 인명구조나 위험에 처해 있는 사람들을 도와주는 정도로 생각할지 모르겠습니다. 물론 그런 일도 하지만 해양경찰은 바다에서 법 집행기관이고 다양한 법령을 집행하는 조직이라는 것을 알아야 할 것입니다. 거기에 걸맞은 능력과 권한을 가지고 업무를 수행한다면 가치 있는 일을 자긍심을 가지고 할 수 있으리라 생각합니다.

지금까지 경찰 공통의 목적과 해양경찰이 하는 법 집행에 대해서 대략적으로 살펴 보았습니다. 해양경찰에 관련된 법 집행에 대해서 다음번에 또 자세히 들여다보는 기회를 가져 보도록 하겠습니다.

10. 해양경찰과 국제법

▽ ▼ ▽

앞에서 제가 해양경찰이 집행하는 법의 근원이 국제법적인 것이 있다고 말씀드렸었는데, 그 내용에 대해서 이번 시간에 좀 자세히 말씀드리려고 합니다.

해양경찰이 집행하는 법에는 국제법적인 내용이 많이 포함되어 있는데 그중에서는 내용을 그대로 반영한 것도 있고, 또 우리나라의 실정에 맞추어서 약간의 변형을 주어서 규정한 내용도 있습니다. 그중에서 대표적인 것 몇 가지를 설명 드리겠습니다.

(1) 먼저 UN해양법협약 이라는 것이 있습니다.

UN해양법협약 : UNCLOS(United Nations Convention on the Law of the Sea)

이것은 1982년 제3차 유엔해양법회의에서 채택이 되어서 1994년부터 효력이 발생한, 우리나라에서는 1996년에 비준을 한 전 세계에 걸쳐서 해양을 규율하는 일반적인 규범이라고 보면 되겠습니다. 그 내용 중에는 영해, 접속수역, 배타적경제수역, 대륙붕, 공해, 심해저 등 우리가 많이 접하고 있는 내용들이 거기에 포함되어 있습니다.

그리고 그 내용을 우리나라의 개별법으로 만든 것이 있는데, 대표적인 것이 '영해 및 접속수역법', '배타적경제수역 및 대륙붕에 관한 법률' 등입니다.

먼저 영해 및 접속수역법에 들어있는 내용 중에서 영해의 범위가 12해리라는 것을 우리가 잘 알고 있죠.

그리고 기선이 있죠. 통상기선, 직선기선이 있다는 것도 그 내용 안에 들어있습니다.

그다음에 외국 선박이 우리나라의 영해를 지나갈 때 무해통항권이 있다는 것도 들어있습니다. 또, 그것을 위반했을 경우에 정선, 검색, 나포 등을 명령할 수 있게 되어있습니다.

배타적경제수역 내에서 우리나라의 주권행사, 권리행사에 대한 내용이 나와 있고, 시설을 어떻게 설치하고, 거기에서 경제적인 활동을 어떻게 할 수 있는지 등에 대한 내용들도 규정이 되어있습니다.

그리고 EEZ 내에서 외국인의 권리, 의무에 대해서도 나와 있고요. EEZ 내에서 외국인 어업 등에 대한 주권적 권리행사에 관한 법률도 있죠. 이런 것들의 기반이 국제법 안에서 나온 것이라고 보면 되겠습니다.

(2) 다음으로 SOLAS협약을 살펴보겠습니다.

SOLAS(international convention for the Safety Of Life At Sea)

이것은 해상인명안전에 관한 협약이죠. 다들 잘 알고 있는 타이타닉호 침몰사고가 있었죠. 1912년에 발생했는데, 이러한 해양사고를 방지하기 위해서 그 당시에 해상교통이 발전된 나라들이 런던에서 회의를 개최했습니다.

1914년에 회의를 개최해서 인명안전에 관련된 협약을 채택하였습니다. 그 뒤에 수십 년 동안 이것이 발전되어 오다가 1974년에 비로소 새로운 협약으로 채택된 것이 바로 SOLAS협약입니다.

이것은 선박 구조나 설비 등에 대해서 국제적으로 통일된 원칙, 규칙을 설정함으로써 인명안전을 증진시키기 위한 목적이 있는 협약입니다. 우리나라의 국내법으로는 '선박안전법' 등에 수용이 된 국제협약입니다.

(3) 그리고 국제해상충돌예방규칙이 있습니다.

이것은 COLREG(international Regulation for preventing Collisions at sea)라고 하는 것인데요. 이것은 해상교통과 관련된 사고를 방지하기 위해서 여러 가지 내용을 규정한 협약입니다. 특히 유럽국가 중에서 선박의 왕래가 잦고 해상교통사고가 많이 발생하는 지역에서 자생적으로 이러한 규칙들이 만들어져서 이웃 몇 나라들과 회의를 거쳐서 지역적인 협약으로 발전되다가 결국은 세계적인 협약으로 발전되는 과정을 거쳐 왔습니다.

이 협약은 우리나라 국내법으로 수용되었는데, 과거에 해상교통안전법으로 불렸고 지금은 '해사안전법'이 된 법과 과거에 개항질서법이었던 것이 지금은 '선박의 입항 및 출항에 관한 법률' 등에 그 내용이 들어와 있습니다.

(4) 그다음에 SAR협약이 있습니다.

SAR협약(International convention on maritime Search And Rescue)은 해상에서 수색과 구조에 관한 국제협약입니다. 1979년에 채택되어 1985년에 발효하였습니다. 해상조난자의 구조를 위하여 원조를 제공하고 모든 연안국이 연안의 감시와 수색 및 구조업무를 위한 적절하고 효과적인 약정을 확립하고, 전세계의 수색·구조기구 간의 협력을 촉진하려는 것을 목적으로 합니다. 이것은 우리나라의 국내법으로 수난구호법이라는 이름으로 수용되었고, 현재는 '수상에서의 수색·구조에 관한 법률'로 되어있습니다. 이 법의 내용을 보면 근원이 되는 SAR협약의 세부내용을 이해할 수 있을 것으로 생각합니다.

(5) 그리고 다음은 MARPOL협약입니다.

MARPOL협약(international convention for the prevention of Marine Pollution from ships, MARPOL 73/78)은 해양오염방지를 위한 협약이죠. 이것은 주로 선박에서 발생하는 오염물질이 바다로 배출되는 것을 막기 위해서 만들어진 법인데, 부속서에 6가지 주요 오염물질에 대한 규제 내용을 담고 있습니다. 규제대상은 기름, 유해액체물질, 포장된 유해물질, 선박하수, 쓰레기, 대기오염물질 등입니다.

국내법으로 수용한 것은 과거에 해양오염방지법이었다가 폐지되고, 현재는 명칭과 내용의 변화를 가져와서 '해양환경관리법'이 되었습니다.

이러한 법들의 내용은 여러분이 법조문을 보면서 공부를 하면 충분히 터득할 수 있는 내용들입니다. 이것은 민법이나 형법처럼 그 법을 배우기 위해서 총칙 부분을 이해하고, 또 각 조항 들을 해석하는 그런 성격이 아니라 그 조문을 읽고 해석하는데 어려움이 없는 법들이어서 충분히 이해할 수 있다고 봅니다.

이 개별법들을 좀 더 잘 이해하기 위해서는 그 법이 나온 국제협약을 잘 살펴보면 감이 더 빨리 올 것으로 생각합니다. 그 근원을 보면 법을 만든 취지나 그것이 나오게 된 배경 등을 알 수 있기 때문이죠.

해양경찰이 집행하는 법 중에서는 우리의 주위에 있는 중국이나 일본 선박의 활동에 대해서 적용해야 할 내용들이 있습니다. 특히 중국과 관련된, 중국어선들이 우리나라 해역에 들어와서 불법조업을 하는 데 대해서는 우리 해양경찰이 그 집행을 하는 데 익숙해져 있죠.

그러한 업무를 하면서 법 조항들을 적용할 때 한 번씩 국제법의 내용과 혹시나 배치되지는 않는지를 살펴보는 것도 좋으리라 생각합니다. 외국의 선박이라고 할지라도 일반 국민의 선박인지, 아니면 국가의 관공선인지에 따라서도 우리가 대처하는 것이 달라져야 하겠죠.

그런 것이 사소한 내용인 것처럼 보이지만 어떠한 권한을 행사했을 때 나타나는 결과는 아주 크게 다를 수가 있습니다. 그러한 내용 하나하나가 해양경찰이 법 집행을 하는 수준을 나타내는 것이기 때문에 더욱더 그렇다고 할 수 있겠죠.

이상으로 해양경찰이 집행하는 법의 근원이 되는 국제법규 몇 가지를 살펴보았습니다.

11. 해양경찰관 역할의 중요성

▽ ▼ ▽

해양경찰에 관한 이야기를 하면서 여기쯤에서 해양경찰관의 역할을 한번 되새겨보는 시간을 갖는 것도 좋겠다는 생각이 들었습니다. 그래서 "해양경찰관은 어떤 역할을 하는 사람들인가?"하는 주제로 하여 이야기해 보려 합니다.

해양경찰관의 역할에 대한 것은 제가 지금까지 말씀드렸던 이야기 속에도 나오는 것입니다. 여러분도 함께 살펴보았던 내용 중에서 '해양경찰은 무엇인가', '해양경찰의 업무는 무엇인가', '해양경찰의 전문성', 해양경찰의 위상 등등에서 그와 관련된 이야기를 했었죠.

거기서 보았던 해양경찰이 하는 임무와 다르지 않지만 시각을 달리 하여 바라보면 그 역할을 하는 주체와 중요성이 새롭게 다가올 수 있기 때문에 그런 시간을 가져 보는 것입니다.

지금부터 해양경찰관을 중심으로 하여 '해양경찰관은 어떤 일을 하는 사람인지'를 살펴보겠습니다.

첫 번째, 해양경찰관이 하는 일은 바다에서 서식하는 각종 해양 동식물을 포함한 해양 자원의 남획과 훼손을 방지하고 보호하는 역할을 합니다. 바다에 있는 각종 동식물은 '공유재'라고 할 수 있겠죠. 이러한 공유재를 사람들은 자유롭게 사용하고, 또 사용하고 나면 재생산될 것으로 생각하고 있습니다.

그러나 이 생물들은 그 양이 무한한 것이 아닙니다. 아무런 규제 없이 마음껏 포획할 수 있도록 그대로 방치해 둔다면 그 양은 머지않아서 줄어들게 되고 언젠가는 그것이 없어질 수도 있을 것입니다. 어떤 종들은 멸종이 될 수도 있겠죠. 이러한 현상을 막기 위해서 바다에서는 조업 금지 구역이라든지, 조업 금지 기간 등 불법조업을 막는 규정을 마련해 놓았습니다. 치어까지 남획하는 사람들이 있기 때문에 그것을 하지 못하도록 해양경찰이 감시하거나 단속을 하는 활동을 하고 있는 것입니다.

이것은 바다 가족이 그들의 생업을 유지하게 하는 활동도 될 수 있지만, 국가 전체로 볼 때는 바다에서 국민들이 지속적으로 경제활동을 영위할 수 있게 하는 역할을 하는 것입니다.

다음으로 해양경찰관의 역할은 바다에서 일어나는 범죄행위를 예방하거나 차단하고 검거하는 일을 하는 것입니다. 바다에서는 육지에 비하여 감시의 눈초리가 적다는 틈을 타서 범죄행위가 일어나는 경우가 많습니다. 또, 그와 상관없이 바다에서 범죄행위를 계획하고 범죄를 발생시키는 행위도 있습니다.

그 밖에 바다를 통해서 외부에서 우리나라로 들어오는 범죄행위나 내부에서 바깥으로 범죄행위를 하러 나가는 경우도 있습니다. 여기에는 국가안보와 관련되어서 우리 해역을 침범하거나 또는 외부로 범법행위를 하는 행위도 포함된다고 할 수 있습니다. 이러한 행위들을 막는 역할을 우리 해양경찰관들이 하고 있는 것입니다.

또 해양경찰관이 하는 다른 역할은 바다를 이용하는 사람들에게 평온하고 안전한 바다를 만들어 주는 일입니다. 바다는 우리에게 아주 좋은 휴식처가 되어 줍니다. 각종 레저기구를 이용하거나, 낚시어선을 이용해서 낚시를 하거나,

여객선이나 유람선을 이용하는 사람들이 많이 있습니다. 또, 스킨스쿠버 활동을 하거나 해변에서 해수욕을 즐기는 사람들, 갯바위나 방파제 근처에서 휴식을 취하는 사람도 많이 있죠. 이들이 안전하게 바다를 이용할 수 있게끔 해양경찰은 매일 힘쓰고 있습니다.

다음으로 해양경찰관이 하는 역할은 바다에서 어떤 활동을 하다가 어려움에 처해진 사람들을 구조하거나 그 사람들에게 도움을 주는 일을 하고 있습니다. 우리나라에는 바다와 관련된 일을 하는 공공기관이 있지만, 해양경찰만큼 다수의 장비와 인력이 투입되어서 그런 업무를 수행하는 기관은 많지가 않습니다.

이것은 현장의 목소리, 국민들의 목소리와 어려움을 해양경찰이 함께 느끼고 도움을 주고 있다고 해석할 수 있겠습니다. 해양경찰관 중에는 인명을 구조할 수 있는 자격을 갖춘 인력들이 많이 있고, 또 평소에 훈련을 통해서 그런 역할을 수행할 수 있는 준비를 항상 하고 있습니다.

그밖에, 해양오염방제에 관한 활동을 하고 있습니다.

해양오염 발생원인을 보면 해양오염을 유발하는 물질들이 바다로 흘러 들어가기도 하고, 바다에서 활동하는 사람들이 오염행위를 만들어 내기도 합니다. 이런 상태를 그냥 두면 바다의 오염은 심각해질 수 있습니다.

뿐만 아니라 우리가 매일 섭취하는 수산물조차도 안심하고 먹을 수 없는 상황이 올지도 모릅니다. 따라서 해양오염이 발생하지 않도록 사전에 예방하고, 관련된 각종 정책을 추진하며, 사후에 제거 활동을 하는 것이 바로 해양경찰의 역할입니다.

제가 지금까지 몇 가지 예를 들어서 해양경찰관의 업무를 말씀드렸는데요. 큼직한 몇 가지 내용만 보더라도 해양경찰이 하는 역할의 중요성은 아무나 할 수 없고, 또 소중한 것이라고 할 수 있겠습니다. 해양경찰은 이러한 업무를 하는 곳임을 다 알고 있기는 하지만, 그 주체의 입장이 되어 내용을 살펴보니 생각이 조금 달라질 수도 있겠죠.

각자가 업무를 하다 보면 때로는 순간적으로 '나는 과중한 업무를 하는 것이 아닌가', 또는 '내가 하는 일이 가치 없는 일은 아닌가'하는 생각이 들 수도 있을 것입니다. 어떤 때는 상황이 자신에게 좀 불리하거나 불편해졌을 때 기분이 나빠질 수도 있겠죠. 혹시라도 그런 생각이 들더라도 해양경찰관이 하는 역할의 중요성, 그것을 한번 생각해 본다면, 순간적으로 들었던 좋지 않은 기분은 없어질 것입니다.

이처럼 힘들거나 어려운 상황에 처해 있을 때 '자신이 하는 본래의 역할이 이것보다 훨씬 더 중요한 것이다.'는 것을 떠올린다면 사소한 것은 사라지고 본래의 자리로 돌아올 수 있을 것입니다.

이처럼 소중한 역할을 하는 해양경찰관, 만약에 해양경찰관이 없다면 어떻게 될까요? 누군가 그 역할을 대신하기 위해서 또 새롭게 배우고 노력하고 닦아 나가야 되지 않겠습니까? 그것보다는 지금 그 역할을 잘하고 있는 해양경찰관들이 쭈-욱 이어서 즐겁게 해나간다면 그것보다 더 좋은 일이 있겠습니까.

그러니까 현재 해양경찰관인 사람들은 각자의 역할이 중요함을 항상 잊지 않고 생각한다면 자신이 속한 조직이 아주 소중한 곳이고, 경찰관 개개인은 가치 있는 일을 한다는 것을 깨닫게 될 것입니다.

12. 해양경찰 정신은?

▽ ▼ ▽

해양경찰이 치안현장에서 일하는 모습은 내면의 마음가짐과 합쳐져 표현된 것이라고 볼 수 있습니다. 그렇다면 해양경찰의 정신은 어떠해야 하는지에 대하여 여러분과 함께 살펴보려고 합니다. 이것은 해양경찰이 업무를 할 때 '어떤 마음가짐으로 일을 하는가' 하는 것과 관련이 있는 것이죠. 그래서 이것은 해양경찰의 태도나 자세 등이 될 것이라고 생각합니다.

이 글을 읽는 분이 해양경찰과 관련이 있다면 직접 당면한 문제가 되거나 언젠가 자신의 문제가 될 수도 있으므로 같이 한 번 생각을 해 보아야 할 내용이라고 하겠습니다.

일반 국민들이 해양경찰을 보면서 "해양경찰은 어떤 마

음가짐으로 일을 하시나요?" 하고 질문을 하지는 않겠죠. 그렇지만 마음속으로는 그런 마음을 가지고 해양경찰을 바라보고 있고, 또 일을 하고 나면 거기에 대한 평가를 보이지 않게 하고 있을지도 모른다는 생각이 듭니다.

우리 정부에서는 그전부터 각 기관을 대상으로 업무실적이나 고객들의 반응 등을 기반으로 하여 평가를 해서 연말쯤 되면 기관별로 서열을 매기곤 합니다. 그런 제도와 시스템이 있지만 실제로 국민들이 거기에 참여해서 공정한 평가를 한다는 것은 아주 힘든 일이죠.

제가 오늘 말씀드리려고 하는 것은 이렇게 타의에 의해서 평가를 받거나 남의 눈을 의식하는 것을 이야기하려고 하는 것은 아닙니다. 공무원이 하는 일에 대한 평가는 국민이 할 수 있겠지만, 공무원이 일을 할 때 가지는 마음 자세는 스스로의 생각에서부터 나오는 것이겠죠.

해양경찰이 일을 할 때의 마음가짐도 같은 맥락에서 보면 되겠습니다. 많은 국가기관에서 자신들이 하는 일에 대한 자세를 표현하는 여러 가지 슬로건이나 캐치프레이즈 같은 것들을 앞다투어 나타내고 있죠. 그래도 국민들은 그 내용을 잘 모르는 경우가 많습니다.

해양경찰이 하는 일에도 그런 내용들이 많이 포함되어 있죠. 대표적으로 미션과 비전, 그리고 핵심가치라는 것이 있고 그 안에 그런 내용들이 들어 있습니다.

또 해양경찰헌장 안에 그런 내용이 들어 있기도 합니다.

[표4] 해양경찰 헌장

해양경찰 헌장

우리는 자랑스러운 대한민국 해양경찰이다.
우리는 헌법을 준수하며 국가에 헌신하고 국민에게 봉사한다.
우리는 해양주권 수호와 해상치안 확립에 힘쓰며
안전하고 깨끗한 바다를 만들기 위해 최선을 다한다.
이에 굳은 각오로 다음을 실천한다.

1. '바다의 수호자'로서 국민의 생명과 안전을 지키며
   인류의 미래 자산인 해양 보전에 맡은 바 책임을 다한다.
1. '정의의 실현자'로서 청렴과 공정을 생활화하며
   원칙과 규범을 준수하고 올바르게 법을 집행한다.
1. '국민의 봉사자'로서 소통과 배려를 바탕으로
   국민이 만족하고 신뢰하는 해양서비스를 제공한다.
1. '해양의 전문가'로서 창의적 자세와 도전정신으로
   어떠한 어려움도 극복하며 임무를 완수한다.

그리고 해양경찰청이나 해양경찰관서에 들어갈 때 보면 입구에 어떤 슬로건이 적혀 있는 경우도 있습니다.

해양경찰교육원을 거쳐 간 신임교육생이나 기존의 경찰관들이 거기에 적혀있는 원훈을 본적이 있을 겁니다. 또 해양경찰관이 한 번씩 부르는 해양경찰가 안에 해양경찰의 역할이나 임무와 관련된 내용이 들어있습니다.

[사진3] 해양경찰교육원 원훈

해양경찰교육원 원훈

[표5] 해양경찰가

해양경찰가
내 조국을 지키는 마음이 넘쳐 바다와 하늘 따라 한정이 없이 우리는 밤낮으로 달려갑니다 이겨레의 역사여 평안하소서 해와 달과 별들과 한 친구되어 우리들 해양경찰 여기 있나니

그런 내용들 안에 해양경찰의 정신이라 할까요, 해양경찰이 일을 할 때 가져야 할 태도나 자세 같은 내용이 들어있다고 보면 되겠습니다.

이러한 것들은 하루아침에 만들어진 게 아니겠죠. 창설 이후 오랜 역사 속에서 만들어졌을 겁니다. 많은 선배 경찰관들과 현재의 경찰관들이 수많은 사건과 사고를 접하면서 경험하고 겪은 여러 가지 일들을 바탕으로 해서 만들어진 것도 있을 것이고요. 새롭게 만들어지고, 정착되고, 또 변화를 거듭해서 이러한 내용들이 오늘까지 이어져 왔을 것이라고 생각합니다. 그것만 있는 것이 아니고 또 우리 사회가 요구하는 것도 있을 것입니다.

어떤 조직이 업무를 통해서 가져야 할 마음가짐이나 정신, 이런 것들은 우리나라에만 있는 것이 아니라 외국에도 있겠죠. 우리와 비슷한 일을 하는 미국의 코스트 가드의 슬로건이 무엇인지 아시나요? 그것은 미국 코스트가드의 표지장 속에 들어 있습니다.

'항상 준비되어 있는'이라는 뜻의 'SEMPER PARATUS'라는 용어입니다. 이 용어는 그들이 사용하는 표지, 그들의 마크 속에 글자로 명확하게 새겨져 있습니다. 여기에서 그들의 정신이 나오는 것이 아닐까요? 그리고 그들이 부르는 해양경비대 노래 안에도 이것이 들어가 있습니다.

자, 이제 돌아와서 해양경찰의 정신에 대해서 이야기 해볼까요. 여러분은 어떤 정신을 가졌으면 좋겠습니까?

저는 먼저 해양경찰이 가져야 하는 정신은 '용기와 도전정신'이라고 생각합니다. 용기에서 나오는 담대한 기개는 남보다 앞장서 멋지게 일을 처리할 수 있는 자세가 있다는 것입니다.

도전정신은 바다라는 환경에서 특히 잘 어울릴 것이라는 생각이 드는데요. 늘 새로운 환경, 그 환경에 잘 적응할 수 있고, 위기상황이 발생했을 때 그것을 잘 관리 할 수 있는 능력들이 여기에서 나올 것으로 생각합니다. 이런 용기와 도전정신이 있다면 그것을 바탕으로 해서 나올 수 있는 것이 '자신감'이 아닐까 생각합니다. 자신감을 가지고 있다면 어떤 위급한 일이 생길지라도 당황하지 않고 잘 처리할 수 있지 않을까요.

그다음에 일하면서 꼭 필요한 것은 '전문성'입니다. 일을 막힘없이 잘 처리할 수 있는 능력이 있어야 되겠죠. 해양경찰이 어떤 어려운 일을 처리할 때는 일반인처럼 해서는 안 됩니다. 훨씬 더 전문성을 가지고 자유자재로 처리해야만 할 것입니다. 그것은 다 전문성을 닦으려는 마음에서 시작된다고 볼 수 있겠습니다.

이러한 것을 바탕으로 해서 '신뢰'를 보여 주어야 됩니다. 이 신뢰는 구성원 간에 먼저 형성되어야 할 것이고, 그 믿음을 바탕으로 해서 국민들에게도 해양경찰에 대한 믿음을 보여주어야 할 것이라고 생각합니다.

그다음에 업무를 하면서 가져야 할 것이 바로 봉사 정신입니다. 국민을 위해서 일을 하는 것을 대표적으로 표시하는 것이 바로 이 봉사 정신이겠죠.

또 국민이 어떤 일을 처리해 달라고 부탁할 때나 범죄사건 등을 처리할 때 반드시 필요한 것이 업무를 '공정'하게 해야 한다는 것이죠. 또 '정의롭게' 해야 된다는 것입니다.

제가 말씀드린 이러한 내용들이 해양경찰이 꼭 가져야 할 마음가짐이 아닐까 생각해 봅니다. 더 좋은 내용이 있다면 거기에다 여러분들의 의견을 또 첨부해 주면 좋겠습니다. 국가공무원인 해양경찰은 자기 자신을 위해서 하는 일도 있지만, 많은 부분은 국민을 위해서 일하고 있습니다.

국민이 어려움에 처해 있을 때 해양경찰의 도움을 요청하게 되는데, 그럴 때는 개인의 이해관계와 아무런 관련이 없이 일을 처리해야만 합니다. 그 마음가짐이 바로 해양경찰의 정신이 아닐까요.

해양경찰의 정신은 어떻게 보면 개개인의 조직에 대한 자부심이나 자기 자신의 명예나 긍지, 직업에 대한 가치관에서 나오는 것이라고 볼 수 있겠죠. 그것이 떳떳하고 자랑스럽다면 훨씬 더 자연스럽고 자발적인 자세가 나오지 않겠습니까. 이렇게 볼 때 해양경찰의 정신은 구성원 개개인의 마음속에서 나오는 것이고, 그것을 얼마든지 더 가치 있게 만들 수 있는 것이라고 생각합니다. 더 나은 해양경찰의 정신을 만들어서 필요로 하는 사람들을 위해서 쓰는 것은 좋은 일이겠죠.

지금까지 해양경찰의 정신에 대해서 살펴보았습니다. 그 정신이 치안현장에서 잘 펼쳐질 때 그 일을 하는 사람들의 존재 이유도 함께 나타날 수 있을 것입니다.

13. 해양경찰의 정체성

▽ ▽ ▽

해양경찰을 가장 짧게 요약해서 설명하려면 어떻게 해야 할까요? 그렇게 하기 위하여 제가 지금까지 해양경찰에 대하여 개별적으로 설명한 여러 가지 내용을 전체적으로 모아서 한 번에 말씀드려 보겠습니다.

해양경찰에 대해서 한 번에 설명을 한다고 해도 처음엔 이해하기가 쉽지 않기 때문에 여러 부분으로 나누어 이야기 했었죠. 그러나 이제는 종합적으로 요약해서 설명해도 그동안 쌓인 내용을 바탕으로 한다면 이해할 수 있을 거라 생각합니다.

한 번에 정리한 제목을 해양경찰의 정체성이라 붙여 보았습니다. 그 내용은 다음과 같습니다.

(1) 해양경찰의 성격

해양경찰은 해양에서 경찰업무를 수행하는 경찰기관이고, 우리나라 중앙행정기관 중 하나이며 법을 집행하는 기관입니다.

[표6] **해양경찰 정체성**

성 격	해양에서 경찰업무 수행, 국가 중앙행정기관, 법 집행기관
업무내용	해양경비, 수색구조, 해양안전, 수사, 정보, 해양오염방제
업무장소	바다(함정), 항포구(파출소), 육상(경찰서)
전 문 성	경찰·해양경찰 업무 지식, 함정·장비 운용술, 해양 적응력
창 설 일	1953.12.23. 해양경찰대로 창설
근 거 법	조직·신분·작용에 관한 개별법 존재

(2) 업무 내용

해양경찰이 수행하는 업무의 내용은 해양경비, 수색구조, 해양안전, 수사, 정보, 해양오염방제 등입니다. 그 업무와 해양경찰의 목적, 해양경찰의 미션과 어떻게 연결되는지를 아는 것도 중요합니다.

(3) 업무 장소

해양경찰이 근무하는 장소는 해양이 주를 이루고 있지만, 그것과 연결된 육상에서도 업무를 수행하고 있습니다.

첫 번째 장소인 바다에서는 함정을 타고 경비 활동을 비롯한 여러 가지 해상치안 활동을 수행하고 있습니다.

두 번째 장소인 항·포구 등 해안에서는 파출소와 출장소에 근무하면서 해양안전과 관련된 업무 및 주민을 위한 지역 경찰 활동 등을 하고 있습니다.

세 번째 해양경찰서에서는 각 부서에서 해당 기능의 업무를 집행하고 있습니다.

이 장소를 명확하게 구분하기보다는 유연하게 볼 필요가 있습니다. 해양을 중심으로 여러 곳에서 활동하지만 그 연속성은 유지되고 역할도 장소에 따라 달라지지 않고 고유의 업무를 해내고 있습니다.

(4) 전문성

해양경찰의 전문성은 경찰로서의 전문성과 해양업무의 전문성을 포함합니다.

먼저, 경찰관으로서 경찰의 목적이나 존재 이유 등 경찰 공통에 관한 의미를 알아야 하고, 또 해양경찰로서의 전문성을 갖춰야 합니다.

다음으로 바다에서 활동하는데 필요한 함정 운용이나 장비를 다루는 기술 등과 해양의 특성을 잘 알고 적응할 수 있는 전문성이 있어야 합니다.

(5) 창설일

해양경찰은 1953. 12. 23에 내무부 치안국 경비과 소속의 해양경찰대로 창설되었습니다. 설립 목적은 평화선이라 불리었던 인접해양주권선내의 해양경비의 업무를 하기 위한 것입니다. 오랜 기간 동안 발전해 오면서 인력, 함정, 항공기, 예산사용 부분 등에 있어서 우리나라 중앙부처의 어느 기관에 못지않은 위상을 보이고 있습니다.

(6) 근거법

해양경찰의 근거법을 조직, 신분, 작용으로 나누어 살펴보겠습니다.

조직에 관한 법은 정부조직법(제43조제2항), 해양경찰법, 해양경찰청과 그소속기관직제 등입니다.

신분에 관한 법은 국가공무원법, 경찰공무원법 등에 그 근거가 규정되어 있습니다.

작용에 관한 법은 경찰관직무집행법, 해양경비법 등을 들 수 있습니다.

지금까지 해양경찰에 대하여 한 번에 간략하게 이야기 하였는데, 국가경찰기관인 해양경찰을 이해하는 데에는 부족함이 있으므로 제가 말씀드린 여러 내용을 바탕으로 전체적으로 살펴보아야 할 것입니다. 이러한 내용은 여러분이 앞으로 해양경찰이 되거나 해양경찰에 대한 이해의 폭을 넓히는데 도움이 될 수 있을 것입니다.

이상으로 해양경찰의 정체성을 간략하게 정리해 보았습니다.

14. 해양경찰학에 관한 이야기
- 현장의 해양경찰관에게

▽ ▽ ▽

이번 시간은 지금 치안 현장에 있는 해양경찰관에게 인사를 하면서 시작하겠습니다.

전국의 해양경찰관 여러분 안녕하세요!

동·서·남해의 바다에서 파도와 싸우며 열심히 근무하는 함정에 근무하는 여러분 고생이 많으십니다. 그리고 본청, 각 지방청, 경찰서, 파출소에서 근무하는 경찰관 여러분 수고가 많으십니다. 그 밖에 교육원, 정비창, 구조단, 연구센터, 기타 여러 기관에서 근무하는 분들 정말 반갑습니다.

지금도 치안현장에서 묵묵히 자신의 역할을 잘하고 있는 것에 대하여 감사를 드립니다. 생각해 보건대 해양경찰은 다른 조직에서 볼 수 없는 여러 가지 특징이 있는데, 그중에서 직원 간의 끈끈한 정이나 어떤 일이 생겼을 때 함께 합심해서 일을 잘 처리하는 자세, 그리고 한눈팔지 않고 자신의 일을 충실히 해내는 것이라고 생각합니다.

지금부터 해양경찰과 관련된 이론이나 실무에 바탕이 될 수 있고 학문이라고 할 수 있는 여러 가지 자료들에 대해서 말씀드리고자 합니다.

현재 우리나라에는 전국의 몇 개의 대학에 해양경찰학과가 생겨서 운영되고 있습니다. 그런데 해양경찰학이라는 책자는 최근에 만들어졌죠. 학문이라는 것이 기본적으로 독자성이 있어야 하고 그 과목만의 고유한 성격이 있어야 하는데, 그 내용을 보면 해양경찰학은 그것이 부족한 것이 사실입니다.

해양경찰이 경찰에서 파생되어 나왔듯이 해양경찰학도 근원을 경찰학에서 찾을 수 있겠습니다. 그런데 경찰학이 행정학이나 행정법 등 타 학문을 근간으로 하여 나왔기 때문에 해양경찰학이라는 것도 근원을 찾아 올라가 보면 행정학이나 행정법 등 다른 사회과학이나 법학과 관련된 학문을 바탕으로 하고 있다고 볼 수 있습니다. 그렇다고 하더라도 그 교재가 해양경찰학만의 특성을 많이 포함하고 있다면 큰 문제가 없겠죠.

학문이 한 사회에서 인식되고 제대로 자리 잡음으로써 그것을 배우는 사람들이 생기는 것이 일반적인 현상이 아닐까 하고 생각합니다.

그런데 경찰업무라는 것이 학문에서부터 시작해서 생긴 것이 아니라 경찰업무가 먼저 있고, 그다음에 그것에 맞추어서 대학에서 학과가 생기니까 학문을 만드는, 어떻게 보면 좀 순서가 바뀐듯한 모습이 나타난 것이죠.

뭐 그래도 좋습니다.

"뭐가 먼저다. 교재가 먼저다, 학과가 생기는 것이 먼저다." 이게 중요한 것은 아니라고 생각합니다. 학과가 먼저 생기고 학문이 나중에 만들어지더라도 제대로 만들어지고, 뿌리내린다면 큰 문제는 없겠죠.

해양경찰학도 실무가 먼저 있고 그다음에 학문이 최근에 만들어졌는데 그것이 제대로 발전하고 정착한다면 아무런 문제가 없으리라 생각합니다. 그리고 지금도 발전하고 있는 단계이기 때문에 그것에 문제가 있다는 것은 아니고, 다만 고유한 성격을 가지는 학문이었으면 좋겠다고 생각합니다. 아쉬운 점은 가르치는 사람의 입장에서 볼 때 관련 자료가 많이 있었으면 좋겠지만 그렇지 못하다는 점입니다.

제가 해양경찰학교에서 근무 할 때부터 그런 생각을 가졌습니다. 그런데 그 분야에 대해서 연구하는 사람은 적고, 또 그 분야를 아는 사람이 있다고 하더라도 학문적으로 정리된다는 것은 대단히 힘든 일입니다. 그렇다 보니 책자, 자료, 교재로 남는 것은 어려운 일이라 할 수 있습니다.

그나마 해양경찰학이 해양경찰학개론이라는 이름으로 만들어졌는데, 그 실상을 보면 그것을 가지고 시험을 준비하는 사람들을 위한 책이 만들어지고 있습니다. 현실을 감안했을 때에는 그 사람들에게 필요한 책자도 있어야 하겠죠. 수험생은 그것을 이용해서 공부를 하고, 또 학원 등에서 강의를 하려고 준비하는 강사들이 있을 것이고요.

제가 볼 때 궁극적으로는 제대로 된 교재가 만들어지고 빨리 자리 잡아서 해양경찰학과에서 공부하는 학생들에게 체계적인 내용을 알려줄 수 있는 학문적인 바탕이 만들어졌으면 좋겠습니다.

"해양경찰학 관련 교재는 어디에 있는가?"

해양경찰교육원 도서관에 가면 자료가 있지만 충분하지 않습니다. 또 해양경찰학과가 있는 국내 대학에 그런 자료가 있는가 하면 그렇지 않다고 봅니다. 거기에는 바다에서 활동하는데 필요한 항해, 기관, 공학과 관련된 자료는 많이 있을 수 있지만 해양경찰이 활용할 수 있는 자료나 해양경찰학 전공자가 참고할만한 자료는 많지 않다는 것입니다.

그렇다면 그 자료는 어디에 있는가 하면 현장에 있는 해양경찰관들에게 있습니다. 그 사람들이 자료를 많이 가지고 있다는 것이 아니라 그들의 머릿속에, 업무 속에 있다는 것입니다. 자료로 만들어지지는 않았지만 그들이 그 업무를 잘하고 있다는 뜻입니다. 신임경찰관이나 해양경찰이 된 지 얼마 되지 않아서 경험이 부족한 경찰관들이 업무를 하면서 어떻게 처리할지 몰라서 곤란에 처했을 때 바로 선배 경찰관에게 물어보면 그로부터 해결책이 나옵니다.

그 이야기는 오래 근무하고 경험이 쌓인 선배 경찰관들의 경험 속에 그 내용이 축적되어 있다는 것입니다. 한마디로 그분들은 걸어다니는 해양경찰학 자료이고 교재라 할 수 있죠. 각 분야에서 자신의 업무를 잘 수행하고 아무 문제 없이 업무를 처리하는 그들의 노하우는 바로 해양경찰학개론의 각 부분을 이루는 것이라고 생각합니다.

함정이나 경찰서에서 노련하게 업무를 해내고 신임경찰관이 들어오면 그것을 가르쳐주면서 업무를 계속해서 이어나가는 그런 일들이 쌓여서 해양경찰의 역사가 되고 전통이 되었다고 생각합니다.

그분들이 근무하는 곳에서 그 자료가 계속 이어져서 책자나 교재로 만들어져 많은 사람들이 볼 수 있게 한다면 해양경찰에 관한 교재, 자료, 학문이 될 수 있겠죠. 그러나 그 일은 한 번에 이루어질 수 없는 것이고, 쉬운 일도 아닙니다. 또 그것을 하려고 계획을 수립해서 한다고 해도 바로 되는 것은 아닙니다.

시간을 두고 점차적으로 그러한 일이 이루어질 것으로 생각하고, 구성원 중에 식견을 가진 사람이 자료를 모아서 나중에 교재를 만들게 되는 일을 꾸준히 하게 된다면 좋은 결과를 만들 수 있겠죠.

해양경찰학의 내용은 경찰 공통의 내용과 해양경찰의 고유한 내용이 포함되어야 할 것입니다. 해양경찰은 경찰이기 때문에 경찰의 목적, 특성, 존재 이유 등을 먼저 알아야 하고, 그리고 해양경찰에 관련된 전문성이 중심을 이루도록 구성해야 할 것입니다.

그다음에 해양에서 활동하는데 필요한 기술들 - 해양공학, 항해술, 기관술, 해양기상 등 - 과 해양의 특성 중에서 해양경찰에 필요한 부분을 다루어야 할 것입니다. 이런 것들이 다 합쳐져서 하나로 모일 때 해양경찰학이 제대로 자리 잡고, 어느 정도의 시간을 거쳐서 확실하게 뿌리내릴 것이라고 봅니다.

이상으로 해양경찰학에 대하여 생각해 보는 시간을 가져보았습니다. 현장에 있는 경찰관 여러분, 늘 지금처럼 자신의 일을 묵묵히 다 해 주어서 해양경찰을 이끌어가는 숨은 일꾼이 되어 주길 기대합니다.

15. 해양경찰학의 의의

▽ ▽ ▽

바다의 중요성과 바다에 대한 국민들의 관심도가 높아지면서 해양분야의 저변확대와 발전이 지속적으로 이루어지고 있는 가운데, 그중에서도 안전한 바다와 치안 질서를 유지하는 해양경찰의 역할도 날로 비중이 증가하고 있습니다.

과거에 해양경찰은 바다에서 경찰업무를 수행하는 경찰업무 중의 일부분으로 취급되었으나, 그 중요성이 커지면서 이제는 '해양경찰'이라는 고유한 대상으로 부상하게 되었습니다. 해양경찰청은 독자적인 경찰기관이 되었고, 국내의 대학에서는 해양경찰학과가 운영되고 있습니다.

시대의 변화에 따라 새롭게 대두되는 사회적 수요를 수용하면서 동시에 전문성이 요구되는 '해양경찰학'의 정립이 필요하게 된 것입니다.

해양경찰이라는 말은 '해양'과 '경찰'이 합쳐져 만들어진 개념이죠. 여기에서 해양은 장소 또는 환경적인 의미를, 경찰은 신분 또는 업무적인 의미를 나타내는 것으로 볼 수 있겠습니다.

즉 해양경찰은 해양이라는 장소적 범위에서 경찰신분을 가지고 그 업무를 수행하는 경찰을 뜻하는 것입니다. 단순히 생각해서 경찰의 한 종류이니 경찰학의 한 분야로 다루어도 큰 무리가 없어 보이나, 그렇게 되면 공통개념인 '경찰'부문은 해결될지 모르지만 '해양'부문이 남게 되는 문제점이 나타나게 됩니다.

간단한 문제인 것처럼 보일지 모르나 해양경찰에 있어서 해양의 개념은 단순한 장소적 개념뿐만 아니라 적응해야 하는 현실적인 문제이고 극복해야 할 과제인 것입니다. 해양분야에 관한 학문연구를 수행하는 대학과 학과가 존재하는 것은 그만큼 해양의 범위가 넓고 연구해야 할 분야도 다양하다는 뜻일 것입니다. 그중에서 타 학문과의 중복성을 피해 꼭 필요한 부분을 선택하여 해양경찰학으로 수용하여야 합니다.

다음으로 살펴보아야 할 점은 경찰(학)에 관해서 입니다. 경찰 활동은 우리 사회 전반에 연계된 일들을 수행하므로 복잡하고 다양한 분야에서 특별한 부분을 뽑아서 경찰학의 개념으로 삼고 있습니다. 공공 업무를 수행하므로 주로 행정학, 법학 등을 수용하여 그 기저로 삼고 있는데, 성격이 기존의 다른 학문에 빠져들지 않고 독자적인 경찰학으로 발전되는 과정에 있습니다. 경찰학 내용 중에서 장소적으로 어느 곳에 국한되지 않고 모든 경찰업무에 공통적으로 적용되는 이론을 해양경찰학에도 수용하여야 합니다.

이처럼 해양경찰학은 다양한 해양학 관련 학문과 사회과학 관련 학문 중에서도 필요한 공통분모를 찾아내고, 실제로 해양경찰이 치안현장에서 수행하는 업무를 바탕으로 하여 과목의 틀을 만들어야 하므로, 결코 쉬운 일이 아닙니다. 또한 학문으로서의 해양경찰학이 해양과학의 어떤 분야나 사회과학의 어떤 분야를 너무 많이 포함하고 있어서 자체의 고유한 성격이 없다면 독자성이나 정체성에 문제가 발생하게 될 것입니다. 이러한 개념에 대한 이해를 바탕으로 해양경찰학의 범위를 정해야 합니다.

먼저 경찰학과의 관계를 파악하기 위하여 그 성격을 살펴보도록 하겠습니다. 현재 국내의 경찰학 교재에 포함된 내용 중 하나를 살펴보면 다음과 같습니다.

제 1 편 경찰학의 기초

제1장 경찰과 경찰의 개념

제2장 경찰학의 분야와 접근방법

제3장 경찰의 이념

제4장 경찰의 역사

제5장 경찰의 역할

제6장 한국경찰의 발전방향과 과제

제 2 편 경찰활동의 법적 토대

제1장 경찰의 조직

제2장 경찰의 작용

제 3 편 경찰의 행정관리

제1장 경찰기획관리

제2장 경찰조직관리

제3장 경찰인사관리

제4장 경찰재무관리

제5장 경찰장비관리

제6장 경찰통제관리

제7장 경찰정보관리

제 4 편 경찰의 운용관리

제1장 생활안전경찰론
제2장 경비경찰론
제3장 교통경찰론
제4장 수사경찰론
제5장 정보경찰론
제6장 보안경찰론
제7장 외사경찰론

※ 현재 많은 종류의 경찰학개론 서적이 있고 책마다 목차는 다르지만 유사한 내용을 포함하고 있음

위의 내용을 살펴보면 크게 경찰학 기초, 법적 토대, 행정관리 등 총론, 운용관리를 각론으로 나누어 서술하고 있음을 알 수 있습니다. 이를 바탕으로 할 때 해양경찰학도 비슷한 형식을 취하면 된다고 생각할 수도 있습니다.

해양경찰학을 저술하는 시점에서 짚어 보아야 할 사항은 경찰학의 내용에 포함되는 부분과 해양경찰만의 고유한 부분을 찾아내는 점입니다.

그렇게 하는 까닭은 먼저 경찰학에서 경찰 공통부분을 찾아내어 해양경찰에 적용할 수 있기 때문입니다.

그다음에 해양경찰의 고유성, 독자성을 발굴하여 정리하게 되면 해양경찰학만의 존재성을 나타낼 수 있다고 생각

합니다.

□ 경찰 - 해양경찰의 공통분야

경찰기관으로서 고유한 업무를 수행하는 점에서 나타나는 특성을 의미하는 바, 그 내용을 이루는 것으로는 경무(계급체계, 조직체계, 업무수행방식, 경찰문화 등), 정보, 수사, 보안, 외사 등을 들 수 있습니다.

경찰업무는 국가 행정작용의 한 분야에 속하므로 행정학과 행정법의 이론을 적용받게 마련입니다. 그중 조직과 작용 부분은 성격상 공통점이 많은데, 그것은 다음과 같은 이유에서 나온 것이라고 생각합니다.

첫 번째는 두 기관은 과거에 오랫동안 같은 조직에서 같은 기준 아래 업무를 수행해 온 까닭에 일하는 방식이나 내용이 거의 같을 수밖에 없다고 봅니다. 수십 년 동안 해왔던 근무형태나 구성원 개인의 업무상 존재감도 크게 다를 바가 없음을 알 수 있습니다.

두 번째는 경찰신분으로서 '공공의 안녕과 질서유지'라는 목적을 달성하기 위해 같은 근거법(경찰공무원법, 경찰관직무집행법)에 의거하여 법 집행을 해왔기 때문에 나타나는 현상이라 할 수 있습니다. 이 경우에는 해양경찰학은 경찰학 속에 포함되어 있다고 할 수 있을 것입니다. 경찰의 목적인 공공의 안녕과 질서유지를 위해 수행하는 범죄수사, 정보활동, 보안업무 등은 육상과 해상을 구분함이 없이 같은 법체계와 법 집행 시스템으로 수행되는 것입니다.

□ 경찰 - 해양경찰 다른 분야

업무를 수행하는 장소나 업무환경을 중심으로 한 특성과 해양경찰만의 독자적이고 전문적인 업무수행에서 나타나는 특성을 의미합니다. 그 내용으로 먼저 해양이라는 환경에 적응하여 활동하기 위한 장비 및 기기의 활용 기술 등을 들 수 있죠.

해양경찰의 가장 고유한 특성은 바다에서 함정을 타고 업무를 수행한다는 점입니다. 이것은 단순히 특정한 장소에서 경찰업무를 위한 수단으로 장비를 이용하는 차원이 아닙니다. 선박을 운용하고 장비를 활용하는 등 바다 위에서 수행하는 일 자체가 해양경찰의 업무에 해당하는 것입니다.

단순하게 생각하여 함정을 운용하는 것과 경찰 활동을 구분하는 것은 어떤 의미일까요.

예를 들어, “함정을 경찰 활동을 위한 수단이라고 보고 배를 잘 다루는 기술을 가진 사람에게 함정을 맡기고 경찰은 필요할 때 승선해서 업무를 수행하면 되지 않을까?” 하는 것입니다.

그러나 그렇게 할 수는 없는 일입니다. 함정 운용은 자체로 해양경찰의 업무가 되는 것이므로 외부인에게 맡길 수 없습니다. 업무수행의 주체인 경찰관의 의사에 맞게 함정을 운행해야 하는데, 배를 움직이는 사람의 신분이나 가치관이 다르다면, 일이 제대로 진행될 수 있을지에 대한 의문이 들 수밖에 없는 일이죠.

바다와 함정의 개념은 그 자체로 해양경찰의 존재 이유가 되는 것입니다. 즉 경찰관이면서 선박에 대한 운용도 잘 할 수 있는 능력을 가져야 한다는 것입니다. 따라서 바다와 함정의 특성 및 적응력과 운용기법을 기르는 것은 기본이 되어야 할 부분입니다.

또 다른 중요한 것은 바로 ‘해양경찰’ 만의 영역이라고 할 수 있는 부분입니다. 이 부분은 해양경찰의 고유한 특성을 나타내는 의미 있는 분야입니다.

“그것이 무엇이냐?” 하면 바로 해양경찰이 수행하는 업무, 전문성입니다. 해양경찰만의 직무에 해당하는 것으로 해상경비, 재난대응·수색구조업무, 해양안전관리, 해양수사·정보, 해양오염방제 등의 업무가 있습니다.

'해양경찰학'의 내용을 거론하려면 상당한 부분을 여기에서 찾아야 할 것입니다. 해양경찰만의 전문성이 깊이 뿌리 내려있는 핵심 사항이라고 할 수 있습니다.

해양경찰의 전문성은 경찰관이 업무를 수행하는 현장에서 만날 수 있고, 그 근원은 법령이나 문서 및 각종 매뉴얼·책자 등의 형태로 존재한다고 볼 수 있겠지요.

해양경찰의 업무는 해양경찰관이 가장 잘하는 것이고 아무나 쉽게 할 수 없는 것입니다. 비록 조직 외부에서 비슷한 일을 하는 사람이라고 하더라도 그 일의 내용을 자세히 알지 못하거나 생소하게 느낄 수밖에 없을 것입니다.

해양경찰이 일하는 현장에서 활용되는 전문성 있는 업무는 해양경찰학으로 포함시킬 수 있을 것입니다.

이상에서 중요하다고 살펴본 것들, 그 요소들을 다른 여러 부분과 연관 지어 종합적으로 보아야 해양경찰학이 완성될 수 있습니다.

지금까지 살펴본 내용을 정리하고 요약하여 해양경찰학 교재를 만든다면 다음과 같은 내용이 포함되어야 한다고 생각합니다.

Ⅰ. 해양경찰학 개요
1. 해양경찰학의 의의
2. 현실성(실무-이론의 조화)
3. 해양경찰 정신

Ⅱ. 경찰일반
1. 경찰의 개념
2. 경찰작용
3. 경찰관리 - 계급체계, 인원, 조직체계, 업무수행방식, 경찰문화
4. 경찰업무 - 행정관리, 정보, 수사, 보안, 외사

Ⅲ. 해양경찰
1. 해양경찰의 개념
2. 조직
3. 역사
4. 법적 토대
5. 업무

(1) 행정 및 장비관리
(2) 해양경비
(3) 수색구조
(4) 해양안전
(5) 해양수사
(6) 해양정보
(7) 해양보안
(8) 해양외사
(9) 해양오염 및 환경관리
6. 외국의 해양경찰

Ⅳ. 해양의 특성 및 이용 (해양경찰과 관련된 것)
1. 해양의 특성
2. 선박운용(항해, 기관, 통신)
3. 해양기상 및 환경
4. 안전한 해상활동

이상으로 해양경찰학에 대한 저의 생각을 말씀드렸습니다. 그리고 교재에 포함되어야 할 내용도 함께 이야기하였습니다.

자료가 부족한 부분은 실무를 바탕으로 해서라도 내용을 체계적으로 정리하는 작업이 필요합니다. 해양경찰학의 현실성을 정확하게 분석하여 이론과 실무를 조화롭게 포함하여야 하겠습니다. 무엇보다 이 분야에 대한 연구 활동이 지속적으로 진행되어서 해양경찰학이 독자적인 학문으로 자리잡기를 기대하겠습니다.

16. 해양경찰 업무의 우선순위

▲ ▲ ▲

해양경찰관서에는 여러 부서가 있고 각 부서에서는 기능에 적합한 업무를 수행하고 있습니다. 다양한 업무를 처리하는 과정에서 관점을 일을 처리하는 시간에 맞춰서 살펴보는 것도 의미있다고 생각합니다. 그 관점은 일을 처리할 때 기준이 되는 상황이나 우선순위에 따라 차이를 두고 처리해야 하는 부분을 말씀드리는 것입니다.

누구나 일을 할 때는 그러한 것을 염두에 두고 처리하겠죠. 그러나 이것은 모든 직장인에게 적용되는 것이 아닌 공무원, 특히 경찰공무원에게 중요하게 다가오는 것이라고 생각합니다. 이것은 경찰 개인이나 조직에서 일어나는 일이라기보다는 국민 개개인에게 일어나는 일이기 때문입니다.

해양경찰이 하는 업무에는 일상적인 것과 갑자기 생겨서 긴급하게 처리해야 하는 일이 있습니다. 일상적인 업무는 사전에 계획하고 준비해서 때가 되면 수행하는 일이라서 다소 여유를 가지고 일을 할 수가 있습니다. 준비할 때나 일을 수행할 때도 정성을 들여서 할수록 잘 처리되고, 또 여러 사람이 함께하는 일은 각자가 제 역할을 잘해준다면 결과도 좋게 나타나게 될 것입니다.

그런데, 이러한 일상적인 일과는 다르게 예고 없이 일어나는 사건이나 사고가 발생했을 때는 그런 과정을 거쳐서 일을 할 여유가 없습니다. 그런 일은 시간, 장소, 대처인력, 장비 활용 등을 고려하지 않은 채 아무 때나 발생하는 것입니다. 그런 일이 발생하게 되면 빠른 시간안에 최상의 해결책과 거기에 투입될 세력들을 급히 만들어 신속하게 대처해야 합니다.

이처럼 긴급하게 업무를 처리해야 할 일이 생겼을 때 그 일을 제대로 처리하기에 적합한 장소가 바로 상황실이라는 곳입니다. 긴급하게 처리해야 할 위기상황이 발생했을 때 현장지휘관을 임명하고 현장에 급파할 세력을 선정하고 다양한 장비, 지원세력들을 추가로 지원하는 일들을 상황실에서 지휘관이 임장해서 하는 것입니다.

또, 인력이나 장비 등이 부족한 경우에는 다른 부처나 인근에 도움을 받을 수 있는 곳에 도움을 요청하고 현장에서 신속하고 원활하게 일을 해결할 수 있도록 전체적으로 통제하고 조정하는 컨트롤 타워 역할을 하는 곳도 바로 이 상황실입니다.

사고가 발생한 장소나 내용에 따라 다르겠지만 바다의 경우에는 지휘관이 현장에 나가는 것보다 상황실에서 지휘하는 것이 더 효율적으로 업무를 처리할 수 있다고 봅니다.

지휘관이 상황실에서 일을 처리할 때의 장점은 현장 상황을 현지에서 전송한 화면을 통해서 볼 수 있고 또 여러 가지 표시가 나타나는 스크린을 보면서 통신장비를 이용해서 현장세력과 의사소통을 할 수 있다는 것입니다.

그런데 지휘관이 현장에 나가게 되면 여러 가지 장비나 그 장비를 이용하기에 적합한 시설이 없고, 현장이 한눈에 들어오지 않기 때문에 지휘에 상당한 어려움이 생길 수 있습니다. 그래서 현장에는 현장지휘관을 임명하여 업무를 맡기고 상황실에서 전체적인 조정을 하는 것입니다.

긴급한 일이 생겼을 때 상황실은 아주 긴박하게 돌아갑니다. 사고의 내용이 사회적으로 큰 이슈가 되는 경우에는 더욱 그렇겠죠. 국민들의 관심이 거기에 쏠리게 되기 때문입니다. 저는 해양경찰청의 상황실장으로 두 번 근무한 경험이 있기 때문에 그 분위기를 너무나 잘 알고 있습니다.

[사진4] 해상치안 상황실표지

해양 현장에서 일어나는 모든 일은 먼저 상황실로 통보하게 되어있습니다. 따라서 지휘관은 여러 업무 중 현재 상황실에서 진행하고 있는 일을 잘 파악하고 컨트롤하고 있으면 다소 안심하고 일을 할 수 있습니다.

상황실이 그렇게 중요한 일을 하고 있는 곳이기 때문에 거기에 근무하고 있는 사람도 충분히 그 일을 할 수 있는 능력을 갖춘 직원으로 배치해야 하겠죠. 그리고 그들이 열심히 근무하는 만큼 그에 따른 보상도 해 주어야 한다고 생각합니다.

상황실은 교대근무를 하는 곳입니다. 기관에 따라 3교대, 4교대 체제로 돌아가게 되는데, 3교대는 하루(24시간) 일하고 이틀을 쉬는 체제이고, 4교대는 그것과는 조금 다른 체제입니다. 이런 근무체제를 보고 상황실에 근무하려고 지원하는 사람이 혹시라도 근무여건이 여유가 있기 때문에 또는 좀 편하게 근무할 수 있을 거라고 생각해서 지원한다면 그것은 착각입니다. 그런 생각을 가지는 것은 자신의 발전이나 조직을 위해서 아무런 도움도 되지 않습니다.

상황실에서 근무하게 되면 조직의 임무에 대해서 전체적으로 볼 수 있는 시각이 만들어질 수 있습니다. 그랬을 때 근무자들은 그 기회를 잘 잡아서 발전할 수 있도록 해야 할 것입니다.

제가 상황실에서 근무했을 때를 생각해 보면 여러 가지 일들이 있었지만, 그 일보다는 어떤 분위기가 떠 오릅니다. 군가에 보면 '진짜사나이'란 노래가 있지 않습니까?

그 가사에 나오는 "... 부모형제 나를 믿고 단잠을 이룬다..." 하는 그 말이 아주 실감이 났습니다. 야간에 직원들은 다 퇴근하고 난 뒤에 상황실에 근무하는 직원만 남아 불침번 역할을 하면서 어디에서 어떤 사고가 일어날지, 어떤 상황이 접수될지, 긴장하면서 근무하던 때가 생각이 납니다.

그런 걸 보면 상황실에서 근무하는 사람들은 조직을 대표해서 밤낮으로 근무하고 상황이 벌어졌을 때는 빠르게 처리해서 다른 직원들이 안심하고 일할 수 있게 해 주는 역할을 하는 것입니다.

해양경찰기관에서 상황실이 하는 업무는 대단히 중요한 부분이라고 할 수 있겠죠. 다른 부서에서 하는 업무도 중요하기는 마찬가지이지만, 시급성이나 긴급하게 업무를 처리해야 하는 차원에서 볼 때 그 의미가 크다는 것입니다. 바다에서 우리 국민이 어려움에 직면했을 때는 촌각을 다투게 됩니다. 이때 상황실에서 잘 처리할 수 있게 지휘해 준다면 위험에 처해있는 국민의 생명과 재산을 구할 수 있기 때문에 더욱 그렇습니다.

업무를 처리하는 기관으로서도 이런 일을 원활히 처리함으로써 다음번에 비슷한 업무가 부여되더라도 그 업무를 잘 처리할 수 있는 능력 있는 기관으로 발전할 수 있을 것입니다. 그리고 그 혜택은 국민에게 돌아간다는 것을 알 수 있겠죠.

지금까지 해양경찰의 업무 중에서도 아주 시급하고 긴급하게 처리해야 할 업무의 우선성에 대한 것과 그 업무를 처리하는 상황실에 관련된 이야기를 해 보았습니다. 어떤 사건 사고가 발생했을 때 긴급성의 기준에 따라 적절히 처리하는 것은 상황실의 신속한 판단에 달려있으므로 그 중요성은 대단히 크다고 하겠습니다.

17. 어떤 경찰관으로 평가받을까?
- 평가자의 심리는

▲ ▲ ▲

이번 시간에는 해양경찰관이 치안현장에서 업무를 수행할 때 가져야 할 바람직한 모습, 그것과 관련된 내용을 여러분에게 말씀드리겠습니다.

좀 더 세부적으로 본다면 업무를 수행할 때 외부로부터 받는 평가와 관련된 내용입니다. "해양경찰이 참 업무를 잘 한다." 하는 칭찬이 있을 수 있고, 때로는 "업무를 잘 못하네." 하는 비난이 있을 수 있는데 둘 다 평가에 해당하겠죠.

그런데, 평가 자체에 관하여 이야기하려는 것이 아니라 그 평가자가 해양경찰의 법 집행에 대하여 갖는 심리를 살펴보려 합니다.

우리가 언뜻 생각하면 경찰관이 법과 규정에 따라 업무를 잘 수행해서 주민들이 만족스럽게 생각하면 좋은 평가를 내릴 것이고, 그렇지 않고 규정에 따르지 않거나 자의적으로 업무를 수행해서 주민들이 불만을 가지게 된다면 좋은 평가를 내리지 않을 거라는 생각이 듭니다.

좀 더 구체적으로 좋은 평가를 내릴 수 있는 사항을 한번 살펴본다면, 주민의 입장에 서서 객관적으로 업무를 처리하고, 공정하고 정의롭게 법 집행을 하고, 또 친절하게 다가가고 주민들이 필요로 하는 일을 펼쳐나가는 것이 그것에 해당한다고 봅니다.

반면에 그렇게 하지 못하고 주민들에게 불편을 끼치거나 주민의 마음에 차지 않게 업무를 처리한다면 그 반대의 평가를 받을 수밖에 없겠죠.

그러나, 행정객체인 국민들이 해양경찰에 대한 평가의 기준은 그것만 있는 것은 아니라고 봅니다. 물론 대부분의 경우에는 앞에서 살펴본 바와 같이 평가를 하겠지만 그렇지 않은 경우도 존재한다는 것입니다. 조금 전에 본 예들이 주민들의 일반적인 심리라고 한다면 예외적으로 특별한 경우에는 또 다른 부분이 작용한다고 볼 수 있거든요.

행정객체에는 법을 잘 지키는 사람이 있고 또 그렇지 않은 사람이 있지 않습니까? 그러나 실제로는 법을 잘 지키는 사람이 따로 있고, 또 법을 지키지 않는 사람이 따로 정해져 있는 것은 아닙니다. 자기가 처해져 있는 상황이나 사정에 따라서 달라질 수 있다고 저는 생각합니다.

그러나 사람들은 평소에 법을 잘 지키는 사람과 잘 지키지 않는 사람이 있다고 느끼게 할만한 모습을 보이는 것입니다. 통상 우리가 법을 잘 지킨다고 하는 사람들은 해양경찰관이 어떤 일을 정상적이고 법 규정에 맞게 처리했다면 그분들도 잘 이해하고 받아들이겠죠.

그런데 경찰관이 법 집행을 했을 때 상대방은 무조건 거기에 따르기만 하는 것은 아니라는 점입니다. 경찰관이 법 집행을 할 때 행정객체가 어떤 반응을 하는가에 대한 두 가지 사안을 생각해 보겠습니다. 이것은 반드시 모든 사람에게 해당되는 것은 아니고, 그런 사람이 많이 있다는 것입니다. 그러니까 현장의 해양경찰관들은 이러한 사항을 염두에 두고 업무를 집행할 필요가 있습니다.

먼저, 자기 자신이 범죄를 저질렀거나 또는 자기와 가까운, 관련된 사람이 범죄행위를 했을 때 아주 관대하게 바라보는 입장이 되는 경우입니다.

법을 어겼는데도 그 사항이 대수롭지 않다고 생각하고 경찰관에게 '이거 별거 아니니까 좀 봐 주라'하는 식의 자세를 갖습니다. 자신이 한 일이 큰 범죄행위도 아니므로 경찰관이 가볍게 처리해 주기를 바라는 마음을 가지고 있는 것입니다.

두 번째는 자기 자신이나 가족 또는 친한 사람들이 범죄행위로부터 피해를 입은 경우입니다. 그때는 가해행위를 한 상대방을 최고의 벌칙으로 처벌해달라는 마음을 갖습니다.

첫 번째 경우, 자기 자신이 잘못을 저지른 경우에는 벌칙을 아주 적게 받거나 아니면 받지 않기를 원합니다. 두 번째 경우, 자기자신이 피해를 입은 경우에는 피해를 입힌 상대방을 최고의 벌칙으로 처벌해 달라고 하는 마음이 있습니다.

이것은 이율배반적인 모습을 보이는 것이죠.

이러한 경우에 그들이 어떤 행위를 해 주기를 기대하는 상대방은 바로 경찰관입니다. 거기에 따른다면 경찰관은 법

규정과 관계없이 어떤 때는 아주 가볍게 처벌하고, 어떤 때는 아주 엄중하게 처벌해야 할 것입니다. 그것은 어떤 기준 없이 업무를 수행하는 결과가 되는 것이죠. 정해진 법을 있는 그대로 적용하지 않고, 상대방이 원하는 것에 따라 자기 마음대로 법을 집행하는 처지가 되어버린 것이겠죠.

경찰관이 하는 법 집행이 합리적인 기준에 따라 하는 것이 아니라 상대방의 유불리에 따라 하는 것이 되기 때문에 아주 잘못된 법 집행이라고 할 수 있겠죠. 이럴 때 상대방은 좋은 경찰관, 또는 나쁜 경찰관을 어떻게 평가하는 것인지를 대충 짐작할 수 있겠죠.

아마 상대방은 자기 자신에게 도움을 주는 경찰관을 좋은 경찰관이라고 평가하고, 그렇지 않고 경찰관이 자신에게 불이익을 주었다고 생각하는 사람은 나쁜 경찰관으로 평가할 가능성이 크다고 볼 수 있겠죠. 이러한 평가는 누가 봐도 정당하거나 합리적인 평가가 아니므로 경찰관은 여기에 얽매여서는 안 될 것입니다.

그렇다면 해양경찰관은 어떤 기준에 따라 행동을 해야 할까요?

우리가 앞에서 살펴본 두 가지 예를 보면 그 상황은 서로 다르죠. 서로 다른 상황에서 상대방이 요구하는 것을 모두 만족시켜줄 수 없습니다.

그럴 때 경찰관은 그들의 잣대에 따라 항상 좋은 경찰관으로 평가받아야만 할까요? 경찰관 업무를 할 때, 상대방에게 약간의 불이익이 가더라도 정당하게 법 집행을 했다면 친절하게 설명하고 설득을 시켜야 할 것입니다. 현장에서 해양경찰관이 업무를 수행하면서 정당한 모습을 보여주는 것이 평소에 경찰관의 소신이 되었으면 좋겠다는 생각을 해 봅니다.

이런 내용은 교과서에 나와 있지는 않지만 우리가 업무를 수행하면서 접할 수 있는 것입니다. 경찰관 각자가 업무를 집행할 때 자신이 할 수 있는 최선의 기준 몇 가지 정도는 세워놓고 거기에 따라서 업무를 수행하는 것도 중요한 것이라고 생각합니다. 늘 공정하고 친절한 자세로 업무를 처리한다면 경찰관으로서 가장 좋은 자세이겠죠.

그러나 어떤 때는 일반인 중에는 경찰관을 평가할 때 법 규정보다는 자신의 입장과 이해관계에 따라 왔다 갔다 하면서 호불호를 따지는 사람도 있습니다. 그래도 경찰관은 여기에 휘둘리지 않고 합리적이고 객관적인 기준에 따라서 업무를 수행해 달라고 말씀드리겠습니다.

경찰관이 업무를 처리할 때 많은 다양한 성격을 가진 사람을 만나게 되죠. 그럴 때 아주 순수하게 법 집행에 따르는 분도 계시지만, 자기 자신의 이익을 너무 앞세우고 강조하는 사람도 만날 때가 있습니다.

일어날 수 있는 여러 가지 사안과 만나는 사람의 다양한 심리를 잘 파악하고 거기에 대처할 수 있는 준비를 항상 하게 된다면 무리 없이 업무를 잘 처리할 수 있으리라 생각합니다.

18. 해양경찰의 수사
- 범죄 검거 건수는?

▲ ▲ ▲

해양경찰의 수사 활동에 관심이 있거나 궁금해하는 분들이 있을 것입니다. 이 시간에는 그것에 관련된 내용을 말씀드리려고 합니다. 사람들이 일반적으로 경찰과 연상하여 생각할 수 있는 업무가 수사 활동이겠죠.

흔히들 생각할 수 있는 것이 범죄를 저지른 사람을 체포해서 조사를 하고 재판에 넘기는 과정을 '수사'라고 생각하고 있지 않습니까.

거기에다 좀 더 내용을 추가해서 말씀드린다면 범죄혐의가 있는 사람을 발견하거나 확보하고 증거를 수집하고 보전해서 혐의자에 대한 조사를 통해서 법 조항을 적용하고 공소를 제기하는 일련의 활동을 의미한다고 하겠습니다.

해양경찰에도 수사기관이 당연히 존재하겠죠. 본청에는 수사국이 있고, 수사국 밑에 수사과와 형사과가 있습니다. 그리고 다섯 개의 지방해양경찰청이 있는데 거기에도 수사과가 있습니다.

그리고 활발하게 수사 활동을 하는 일선 해양경찰서에는 수사과가 있고, 그 밑에 수사계와 형사계가 있습니다. 지역에 따라서는 지능범죄수사계가 있는 경찰서도 있고요.

수사 활동에 대해서 좀 더 쉽게 이해하기 위해서는 우리나라 경찰기관 전체 수사 활동을 살펴보는 것이 더 나으리라 생각합니다. 경찰 전체의 수사에서도 해양경찰청의 수사의 독자성과 해양경찰만의 특수한 수사의 내용은 존중되고 있습니다.

여기서는 여러분의 이해를 돕기 위해서 범죄 발생 건수와 범죄검거 건수에 관련된 통계자료에 대해서 한번 살펴보도록 하겠습니다. 먼저, 우리나라에서 발생된 범죄의 총 건수에 대해서 살펴보겠습니다. 이것은 경찰청 통계자료에 의한 것입니다.

2020년에 발생한 범죄 발생 건수는 1,587,866건인데, 그중에서 검거 건수는 1,289,866건이 됩니다.

그중에서 해양경찰청에서 수사 활동을 통해서 범죄를 검거한 건수를 살펴보면, 발생 건수는 45,596건이었는데, 검거 건수는 45,160건으로서 검거율은 99%입니다.

바다에서 일어나는 범죄의 특성상 해양경찰이 검거한 이 범죄들은 경찰청에 비해서 강력범죄나 절도·폭력·지능범죄 등의 수치가 상대적으로 비중이 낮은 편입니다. 물론 해상에서도 강력범죄나 절도·폭력·지능범죄가 발생하고 있지만, 경찰청에 비해서 상대적으로 낮다는 의미입니다.

해양경찰청에서 검거한 범죄 발생 건수를 보면 그중에는 형법범이 포함되어 있지만, 특별법을 위반한 범죄 건수가 상당히 있습니다. 전체에서 강력범죄나 절도·폭력·지능·특별경제범죄, 마약·보건·환경범죄가 차지하는 비율이 약 8% 정도이고, 나머지는 특별법을 어긴 범죄행위입니다.

특별법 범죄는 총 건수가 41,823건인데, 가장 많은 부분을 차지하는 것이 공유수면 관리·매립법을 위반한 사범이고, 그다음에 선박안전법이나 선박직원법, 수산업법, 낚시관리 및 육성법 등을 어긴 사범이 있습니다.

2020년 한 해 동안 해양경찰이 검거한 범죄 건수는 경찰청과 비교를 해 보면 대전청, 광주청, 강원청, 충북청의 범죄검거 건수보다는 상위에 있습니다. 비슷한 건수로 볼 수 있는 전북청, 전남청의 검거 건수보다도 조금 더 많은 것으로 통계가 나와 있습니다. 이러한 수치로 경찰청 소속의 지방경찰청의 범죄 건수와 해양경찰청의 범죄 건수를 단순비교하는 것은 무리가 있겠죠.

여기에서 우리가 알아야 할 사항은 해양경찰의 수사 활동이 경찰청의 어느 기관에 못지않게 열심히 하고 있다는 점입니다. 서로 주어진 상황과 여건이 다르겠죠. 그럼에도 불구하고 그 상황을 개척하고 열심히 수사 활동을 펼치고 있는 것입니다.

경찰관의 숫자나 예산, 수사 활동을 할 수 있는 여러 가지 조건이 완비되지 않은 상태라고 할지라도 자신의 역할을 다해서 그 결과를 좋게 만들어 내는 능력을 가지고 있다고 보면 되겠습니다.

이런 해양경찰의 수사 활동은 앞에서 살펴보았던 해양경찰의 여러 가지 임무나 역할, 업무에 대해서 잘 알고 있는 직원들이기에 자신감을 가지고 수사 활동을 이어가고 있는 것입니다. 해양경찰의 수사 활동은 독자성과 전문성이 많이 확보되어 있습니다.

이러한 상황을 발전시켜 나간다면 해양경찰의 수사는 어느 기관에 뒤지지 않는 독자적인 기반을 구축해 나갈 것이라고 생각합니다.

지금까지 해양경찰의 수사 활동과 관련해서 그 기본이 되는 범죄검거 통계수치를 말씀드렸습니다. 그러면서 지금도 어려운 여건 아래에서 전국에서 열심히 수사 활동에 임하는 수사경찰관 여러분에게 응원의 박수를 보내드립니다. 수고 많으십니다.

※ 참고자료(KOSIS-국가통계포털 자료)

□ **2020년 범죄 건수(경찰청)**

○ 범죄 발생건수 1,587,866건 / 검거건수 1,289,866건 (81.2%), 죄종 582개

[발생 건수] / [검거 건수]

⇓ ⇓

◦ 강력범죄(살인,강도,강간,방화) 24,332 / 23,556(96.8%)

◦ 절도범죄 179,517 / 111,246(62%)

◦ 폭력범죄 265,768 / 230,773(86.8%)

◦ 지능범죄 424,642 / 279,050(65.7%)

↳직무유기, 직권남용, 증수뢰, 통화, 문서·인장, 유가증권인지, 사기, 횡령, 배임

□ **2020년 해양경찰청 범죄 건수**

○ 범죄 발생건수 45,596건 / 검거건수 45,160건(99%)

[발생 건수] / [검거 건수]

⇓ ⇓

◦ 강력범죄 24/23(95.8%)

◦ 절도범죄 202/134(66.3%)

◦ 폭력범죄 336/287(85.4%)

◦ 지능범죄(사기,횡령,문서·인장) 1,607/1,536(97.3%)

○ 특별경제범죄 130/130(100%)

○ 마약범죄 222/219(98.8%)

○ 보건범죄 506/504(99.6%)-공중위생관리법, 식품위생법 등

○ 환경범죄 534/532(99.6%)-해양환경관리법

○ 기타범죄 41,823

-공유수면관리,매립법 위반 8,902/8,900(100%)

-낚시관리 및 육성법 1,000/976(97.6%)

-선박안전법 1,936/1,843(95.2%)

-선박직원법 4,322/43,19(99.9%)

-수산업법 5,258/5,262(101%)

-화물자동차운수사업법 1,581/1,581(100%)

-골재채취법 749/749(100%)

-기타 16,159/16,141(99.9%)

□ **2020년 지방경찰청 범죄 건수(비교자료)**

○ 대전경찰청 44,623/37,376(83.8%)

○ 광주경찰청 43,517/37,472(86.1%)

○ 강원경찰청 44,571/38,500(86.4%)

○ 충북경찰청 47,864/39,265(82.0%)

○ 전북경찰청 47,446/40,322(85.0%)

○ 전남경찰청 51,519/44,128(85.7%)

19. 해양경찰의 수사 활동 - 수사 입문

▲ △ ▲

"해양경찰의 수사 활동은 어떻게 이루어지나요?"

이런 궁금증을 가진 사람들에게 수사업무에 대하여 말씀드리고자 합니다. 그중에서도 아주 수사의 기본이 되는 내용을 설명해 보겠습니다. 여러분 중에는 해양경찰에서 수사를 한번 해 보고 싶은 사람이 있을 겁니다.

그런 생각을 가지고 있는 사람을 두 부류로 나누어 볼 수 있겠죠. 하나는 지금 현재 해양경찰이면서 수사부서 이외에서 근무하고 있는 사람이 수사부서로 가서 수사업무를 하고 싶은 사람이겠죠.

또 하나는 해양경찰 시험을 준비하고 있는 사람 가운데서 '나는 해양경찰이 되어서 수사부서에서 활동을 하고 싶다' 하는 사람이 있을 것입니다.

그런 사람을 대상으로 지금부터 수사의 입문이라고 할 수 있는 기초적인 내용을 말씀드리겠습니다. 수사가 무엇인가에 대해서는 개인마다 생각하는 어떤 것이 있을 것입니다. 우리가 어려서부터 주위에서 보고 듣고 느끼고 얻은 지식들이 있는데, 그중에서 아주 좀 흥미롭게 생각하는 것 중의 하나가 경찰이고 그중에서 수사하는 경찰관, 범죄자를 찾아내고 체포를 하고 조사를 하는 그 경찰관을 많이 떠올릴 것입니다.

여러분이 읽은 책이나 TV 드라마나 영화를 통해서 경찰이 등장하는 장면들을 보고 재미있어하고, "나도 저런 경찰관이 되었으면 좋겠어."하는 생각을 했을 수도 있습니다.

보통 사람들은 경찰은 수사업무를 주로 한다고 생각할지도 모르겠습니다. 육상경찰도 마찬가지고 해양경찰도 실제로 수사업무보다는 다른 일들이 상당히 많이 있습니다. 해양경찰의 경우에 경비라든지 수색구조, 해양안전, 해양오염방제 등 이런 일들이 많이 있는데도 불구하고 해양경찰 수사를 먼저 떠올리는 사람이 있을 것이라고 생각합니다.

해양경찰과 수사를 연결시킬 때 주로 바다에서 수사를

하기 때문에 범죄의 종류가 해양과 관련된 것, 수산과 관련된 것 등, 이런 것들이 아닐까 하고 생각할 수 있습니다. 물론 바다에서 활동하기 때문에 수사업무도 그런 것들이 대상이 되는 경우가 많겠죠. 그렇지만 반드시 그런 것은 아닙니다. 육지에서 일어나는 범죄행위가 바다에서도 일어날 수 있기 때문이죠. 범죄행위를 하는 사람들이 바다에 사는 것은 아니죠. 자기 집이 다 육지에 있습니다.

그래서 해양경찰 수사관들은 일반적인 형사법과 특별법에 대해서 알고 있어야 하고 거기에 더해서 바다에서 주로 사용되는 해사법규와 국제적으로 통용되는 국제법규까지도 알고 있어야 됩니다.

그런데 해양경찰 수사관이 여기에 덧붙여서 한 가지를 더 알고 있어야지만 수사업무를 원활하게 수행할 수 있다는 점입니다.

그것은 바다에 관련된 지식과 바다에서 일어나고 있는 일들에 대해 폭넓게 이해하고 있어야 한다는 것입니다. 해양에 대한 지식, 해양의 특성, 선박에 대한 여러 가지 상식과 지식 그리고 바다에서의 경험 등이 필요하다고 하겠습니다. 그러니까 해양특성도 잘 알고 있고 수사업무도 잘 아는 사람이 많이 양성될수록 해양경찰의 수사업무는 전문성을 띤, 아무나 할 수 없는 특화된 수사라고 할 수 있을 것입니다.

현실적인 이야기를 해 보도록 하겠습니다. 저는 일선 해양경찰서에서 수사계장과 수사과장을 경험했습니다. 해양경찰관 중에는 수사부서가 아닌 다른 곳에서 근무하면서 수사업무를 한번 해 보고 싶어하는 사람들이 있습니다. 경찰관이면 누구든지 수사를 하고 싶다면 수사에 관련된 공부를 하고 그다음에 어떻게 하면 수사부서에서 근무할 수 있는지 그 길을 적극적으로 찾아보아야 하겠죠.

해양경찰서 현장부서를 찾아가 보면 거기에는 '수사전담요원'이라는 사람이 정해져 있죠. 주로 함정이나 파출소에서 어떤 범죄사건이 발생했을 때 초동조치를 취하고 기초적인 수사서류를 작성하는 임무를 가지고 있습니다. 경찰서 수사과에서 정기적으로 이 수사전담요원에 대해 교육을 실시하고 있습니다. 그리고 지방청에서도 수사전담요원에 대한 교육을 하고 있죠. 그리고 직무교육훈련센터에서도 수사요원양성과정이라는 기초교육을 매년 시행하고 있거든요. 관심이 있으면 그 교육을 지원해서 받으면 됩니다.

과거에 해양경찰청에는 수사경과가 없었는데 요즘엔 수

사경과가 생겼습니다. 여기에 해당하는 사람들은 수사경과가 아니었는데 자신이 수사를 하고 싶어서 지원을 해서 경과가 바뀌게 된 것입니다. 그렇다면 지금 현재 해양경과인 사람들도 얼마든지 수사경과로 자신의 특기를 바꿀 수 있겠죠.

수사전담요원이 되어서 그 일을 해 보고 자신이 수사업무에 맞는 사람인지를 파악할 수 있겠죠. 그리고 그것이 좋다면 형사기동정이나 수사과에 가서 근무를 할 수 있을 것입니다. 이렇게 차근차근히 준비를 한다면 언젠가 자신에게도 기회가 올 것이라고 생각합니다.

그러한 준비도, 시도도 해 보지 않고 "수사를 하는 사람은 따로 정해져 있는가?"라고 혼자서 오해를 한다면 그것은 잘못된 자세라고 생각합니다. 수사과로 문의를 하거나 잘 아는 직원에게 물어봐서 수사를 꼭 하고 싶다면 길이 있다는 것을 스스로 확인하기 바랍니다.

그다음에 지금 해양경찰시험을 준비하는 사람 중에 나중에 수사업무를 해 보고 싶은 사람이 있을 겁니다. 요즘은 채용시험에 수사 분야를 따로 뽑고 있죠. 올해 2차 채용시험에도 보니까 수사 분야를 20명 뽑기로 되어있네요. 여기는 제한이 있습니다. 전문지식이 필요한데요. 경찰행정 또는 법학 학사학위 이상을 소지한 사람으로 되어있습니다.

수사에 대해서 깊이 생각해 보지 않은 분, 그것에 대한 정보를 제대로 파악해보지 않은 분들은 왜 수사를 하고 싶은지 궁금합니다. 영화를 보고 "나도 멋진 경찰관이 되고 싶다." 이렇게 생각한 것은 좋은 현상입니다. 그렇지만 현실은 그것과 같지가 않죠. 영화에 나오는 경찰관의 활약상은 모든 과정이 다 시원시원하고 멋있죠.

어떤 범죄행위에 대한 혐의가 있는 사람을 추적하고 어렵게 찾아내고 체포해서 그 사람을 범죄 피의자로 확정하면서 영화가 끝나는 경우가 많죠. 그러한 장면은 수사경찰관의 업무 중 일부에 해당하는 내용입니다.

무슨 말이냐 하면 범죄혐의자를 검거하면 모든 것이 끝나는 게 아니란 말입니다. 범인을 체포하는 일은 순간적인 일이죠. 그런데 그 뒤부터 처리해야 할 일이 더 많습니다.

피의자 조사를 통해서 수사서류를 작성하는 과정, 또 증거를 찾아내고 또 범죄사실에 대해서 관련이 있는 사람, 참고인 조사를 통해서 오랫동안 범죄사실에 대해 실체를 밝히는 일은 금방 마무리되는 일이 아닙니다. 범인을 대상으로 조서를 꾸미고 서류를 만드는데 서류는 간단한 것이 아닙니다. 몇 차에 걸쳐서 계속해서 작성해야 하는 것이죠.

한 번의 진술로 모든 것이 밝혀질 수는 없으니까요. 피의자의 태도에 따라서 달라지게 되는 것입니다. 수사서류는 수백 페이지에서부터 천 페이지가 넘는 양을 작성해야 되기 때문에 복잡하고 어려워 그것을 만들기 위해서는 많은 지식과 노력이 필요하다고 하겠습니다.

그리고 범죄사건은 시간을 가리지 않고 발생합니다. 경찰관이 근무하는 시간에만 발생하면 참 좋겠지만 퇴근해서 집에서 잠자는 시간, 새벽 시간에 일어나기도 하죠. 그러면 자다 말고 현장으로 출동을 해서 사건을 처리해야 합니다.

자신이 해양경찰 수사관이 되려고 한다면 내가 좋아서 하는 면도 있지만 거기에 대한 소신과 사명감이 있어야만 할 수 있는 일이라고 생각합니다.

현실적인 이야기를 좀 해 보자면 해양경찰관 중에서 수사업무를 하고 싶은 의욕이 불타서 실제로 수사과로 발령을 받는 사람이 있습니다. 그중에는 아주 열심히 근무를 하는 사람이 있는 반면에 어떤 사람은 그것을 못 견디고 다시 옛날에 근무했던 그 부서로 돌아가는 사람도 있습니다.

영화에 나오는 멋진 장면만 떠올려서는 안 된다는 것입니다. 멋진 장면 뒤에 해야 하는 일들이 많이 있습니다. 넓고 다양한 시각으로 전체를 보고 수사관의 업무가 어떤지를 잘 파악하고 도전하기 바랍니다.

수사업무를 소개하는 첫 시간에 제가 좀 부정적인 이야기를 한 면도 없지 않은데 그것은 그 업무의 좋은 면만 보지 말고 단점도 있고 어려운 점도 있다는 것을 알아야 한다는 차원입니다. 그것을 이해하고 '나는 그 일을 하고 싶다'는 의지가 있다면 열정을 가지고 도전하고 그 업무를 할 수 있는 사람이 되기를 바라는 뜻에서 말씀을 드리는 것입니다.

그리고 제가 아까 말씀드렸듯이 해양경찰 수사업무는 특화된 업무입니다.

"나는 진심으로 해양경찰 수사관이 되어서 이 분야에서 보람을 느끼고 일을 하면서 전문가의 길을 걷겠다."라는 마음이 확고한 사람이라면 여기에 도전할만한 가치가 있다고 생각합니다. 해양경찰 수사관이 되고 싶은 분은 잘 준비하여서 자신의 뜻을 펼치기를 바라겠습니다.

20. 해양경찰관 현재 나의 위치는?

▲ △ ▲

우리나라의 해양경찰관은 몇 명이고 어떻게 구성되어 있는지 알고 싶다면 지금 확인하는 시간을 가져 보겠습니다. 그 내용은 해양경찰청에 소속된 경찰공무원의 현재 인원, 또 계급별 분포 현황, 계급별 비율 등에 관한 것입니다.

그 내용을 확인하면 현직 경찰관은 나의 위치가 어디인지에 대해서 어느 정도 알 수 있을 것이고, 해양경찰을 공부하는 학생들에게는 해양경찰 전체인원이 어떻게 분포되어 있는지에 대해서 이해를 할 수 있을 것입니다.

그다음에 우리나라 경찰공무원 전체인원에 대해서 살펴보고 그중에서 해양경찰의 인원 구성에 대해서도 살펴보도록 하겠습니다. 그리고 우리나라 일반직 공무원 현황에 대해서도 해양경찰과 함께 비교해서 살펴보도록 하겠습니다.

먼저, 해양경찰청에 근무하는 경찰공무원의 총인원은 2020년 기준으로 10,462명이 현재 인원입니다. 해양경찰 공무원 총원에 대한 내용은 여기에 나와 있는 바와 같습니다.

[해양경찰청 경찰공무원]

총원 10,462명(2020년 기준, 파견인원 미포함)

치안총감	1
치안정감	2
치안감	3
경무관	10
총경	72
경정	244
경감	756
경위	2,994
경사	2,318
경장	2,071
순경	1,991

어떻습니까? 여기에서 살펴보아야 할 것이 경정 이상의 인원이 총 332명이라는 것이고요. 그 인원은 전체 경찰공무원에서 차지하는 비율이 3.1%라는 것입니다.

경감 이하의 인원은 10,130명으로서 경감 이하가 차지하는 비율이 약 97% 정도가 되죠. 이것은 상위계급의 비율이 하위계급의 비율보다 훨씬 적다는 것을 알 수 있는 대목입니다.

전체 해양경찰 공무원 인원에 대한 도형을 한번 그려본다면 치안총감에서부터 경위까지는 완만한 피라미드 모형을 보여주고 있습니다. 그런데, 경위계급에서부터는 그 인원이 많아서 가운데가 둥그런 항아리 모형을 나타내고 있습니다. 그리고 그 밑으로 계급이 낮아질수록 숫자가 조금씩 줄어드는 모습을 나타내고 있죠.

이러한 현상은 경위계급의 역할이 중요하다는 것을 나타내는 것일까요?

최상위의 계급을 제외하면 경위계급은 조직의 중간에 위치하는 계급이죠. 물론 열심히 역할을 다해야 하는 위치이기도 합니다. 그런데, 다른 면에서 보면 경위계급에서 진급에 적체가 되는 것을 나타내는 것이기도 하죠.

다음은 우리나라의 경찰공무원 전체에 대해서 한번 살펴보도록 하겠습니다. 우리나라 경찰공무원은 총 138,764명입니다. 그중에서 해양경찰 공무원이 1만 명이 넘기 때문에 약 12만 8천여 명이 경찰청에 소속된 경찰공무원입니다. 우리나라 경찰공무원 현황은 여기에 나타난 바와 같습니다.

[대한민국 경찰공무원]

총원 138,764명(2020년 기준)

치안총감	2
치안정감	8
치안감	27
경무관	72
총경	661
경정	3,085
경감	13,074
경위	55,101
경사	23,626
경장	24,452
순경	18,656

우리나라의 경찰공무원 중에서 경정 이상이 차지하는 비율은 2.7%입니다. 경감 이하가 차지하는 비율은 97%가 넘는다는 이야기가 되죠.

다음은 우리나라 중앙부처에 근무하는 일반직공무원의 분포도에 대해 살펴보도록 하겠습니다.

순수한 일반직공무원 숫자는 약 13만 8천여 명이고, 그 중에서 5급(사무관) 이상이 차지하는 인원은 2만 4천여 명입니다. 비율로 따지면 전체 일반직공무원 중에서 약 17.4%를 차지하고 있습니다. 그리고 6급 이하는 11만 4천여 명이 됩니다.

아까 우리가 살펴보았던 경찰관 중에서 경정 계급 이상은 전체계급에서 차지하는 비율이 약 3% 정도였는데, 일반직공무원의 경우에는 사무관 이상의 계급이 차지하는 비율이 17.4%이죠. 이것은 눈에 띄게 차이가 나는 현상입니다.

이러한 현상은 경찰관이라는 것과 일반직공무원에서 오는 차이, 그리고 업무의 성격에서 오는 차이 등 여러 가지 주어진 환경이 다르다는 것을 알 수가 있겠죠.

먼저, 경찰공무원은 계급의 중요성이랄까요, 계급의 가치라고 할까요, 그것이 좀 더 높다고 볼 수가 있겠죠. 그리고 업무의 성격이 부서장을 중심으로 해서 구성원이 함께 업무를 수행하는 그런 체제로 되어있음을 알 수 있습니다.

또, 지휘계통과 업무를 수행할 때 일사불란하게 움직이는 체제가 발달되어 있다고 볼 수 있겠죠. 상위계급의 숫자가 적음에도 불구하고 많은 인원을 부서 위주로 움직여서 업무를 수행함에는 부서를 이끌어가는 사람들의 지휘력, 즉 리더십이 특별히 요구된다고 할 수 있겠죠.

계급과 관련된 이야기를 하다 보니까 좀 딱딱해졌지요. 다음 사항에 대해서 같이 한번 생각을 해 봅시다. 많은 사람들 중에서 진급하는데 올인하는 사람이 있고, 또 어떤 사람은 현재 자신의 위치에서 열심히 묵묵히 일하면서 진급은 자연적으로 될 것으로 생각하는 사람이 있으며, 또 어떤 사람은 계급에 연연하지 않는 사람도 있습니다.

자기 자신이 어떤 생각을 하느냐 하는 것은 개인의 문제이겠죠. 그런데 계급과 관련해서 제가 여러분들에게 말씀드리고 싶은 것은 어떤 계급에 올라갔을 때,

"그 역할을 내가 충분히 할 수 있는가" 하는 것에 먼저 중점을 두어야 한다는 것입니다.

상위계급으로 올라가야겠다는 마음을 가지는 것은 자기 자신의 생각이지요. 그리고 그 계급에 올라가서 기분이 좋은 것도 자기 자신의 마음입니다.

그런데 그런 상위계급에 진급하는 체제를 만들어 놓은

이유는 뭘까요? 거기에 올라가서 조직 전체에서 자신의 역할을 잘해서 조직이 안정적이고 발전적으로 나아갈 수 있게끔 하기 위해서 만들어 놓은 것이겠지요. 그렇다면 그 역할에 충실할 수 있는지 그것부터 생각해야 한다고 봅니다. 자신의 역할을 다하면서 계급도 그에 따라 자연스럽게 올라간다면 스스로도 만족할 수 있고, 해양경찰 조직이 전체 국민이나 우리 사회에 미치는 영향을 제대로 나타낼 수 있겠죠.

지금까지 해양경찰공무원 전체 현원이 어느 정도이고, 또 계급별 분포도, 내가 거기에서 어디에 속하는지 알 수 있는 수치를 살펴 보았습니다.

여러분은 진급을 꿈꾸고 계시나요?

그렇다면 현재의 위치에서 자신의 역할을 잘할 수 있는 능력을 길러서 상위계급으로 진급해서 전문성을 발휘하고, 많은 사람들에게 좋은 영향을 끼칠 수 있는 사람이 되기를 바랍니다.

21. 해양경찰의 미래 비전

▲ △ ▲

이 시간에는 해양경찰의 미래 비전, 미래상, 나아갈 길에 대하여 여러분과 함께 생각해 보고자 합니다. 이것은 당장 현실적인 문제는 아니지만 다가오는 장래의 중요한 일이기 때문에 언젠가는 생각해 보아야 할 문제이죠. 여러분은 해양경찰이 어떻게 발전해 나갔으면 좋겠습니까?

현재 해양경찰청에는 공식적으로 비전(vision)이라는 것이 정해져 있죠. 그것은 다분히 선언적인 것에 불과하고 실제로 다가올 미래의 비전과는 거리가 있어 보입니다.

해양경찰에 몸을 담고 있는 사람들은 몇 년 뒤, 몇십 년 뒤 해양경찰의 미래상이 궁금하고, 또 미래가 잘 예측될 수 있도록 계획을 수립하는 것이 중요한 문제로 다가올 것입니다.

그것이 자신의 일이라면 이런 질문이 제기되겠지요.

“10년 뒤, 20년 뒤, 30년 뒤 해양경찰의 미래상은 어떻게 될까요?”

목표를 가장 높게 잡아본다면 가능한 것이 세계에서 가장 뛰어난 세계 일류의 해양경찰이 되는 것이겠죠. 물론 현실적으로 그것을 이루기에는 어려움이 없는 것은 아닙니다. 그렇지만 열심히 하다 보면 그렇게 되지 말라는 법도 없겠죠. 비록 그것이 현실적으로 아주 어려운 목표라고 할지라도 미래에 대한 구상, 미래에 대한 플랜을 잘 짜는 것부터 시작이 되어야 하겠죠.

그전에도 해양경찰 2030 같은 계획을 수립하기도 했습니다. 그중에서 이루어진 것도 있고 그렇지 못한 것도 있죠. 제가 말씀드리는 미래 비전은 그거보다는 좀 더 넓은 의미를 말하는 것입니다. 구성원의 마음속에 그런 비전이 심어지게 된다면 그것을 바라보며 희망을 품고 열심히 일할 수 있는 수단이 될 수 있는 ‘그것’을 말하는 것이죠.

보통 미래에 대한 계획을 수립할 때는 기구, 인원, 예산을 증강하는 계획을 수립하죠. 그것은 당연한 것입니다. 아주 기본적인 것입니다. 우선은 일할 사람이 증가하고 예산이 증가해서 그 예산으로 함정이나 항공기 등을 새로 건조하고 또 사용하기에 편리한 새로운 장비들을 많이 도입할 수 있겠죠.

그것은 겉으로 드러나는 모습입니다. 더 중요한 것은 예를 들면, 인원을 증가하는 경우에는 '어떤 사람을 뽑을 것인가?' 하는 것에 초점이 맞추어져야 한다고 생각합니다.

해양경찰이 원하는 인재상을 정해놓고 거기에 맞는 사람들을 채용하도록 노력해야 합니다. 그리고 채용은 바로 교육과 이어지게 되어있습니다. 뛰어난 인재를 뽑아서 해양경찰교육원에서 열심히 가르쳐야 합니다. 해양경찰이 현장에서 업무를 수행할 때 꼭 필요한 인재, 외부의 다른 사람은 그 일을 할 수 없는 해양경찰만의 전문성을 지닌 그런 사람들을 길러내어야 합니다.

그렇게 하려면 우선적으로 그것을 가르치는 사람들을 역량을 갖춘 뛰어난 사람으로 배치해야 합니다. 그런 다음에 해양경비·수색구조·해양안전·수사·정보·해양오염방제에 이르기까지 전문가들을 길러내어야 하는 것입니다. 그 분야의 전문가를 길러낸다는 것은 비슷한 업무를 수행하는 외부의 어떤 기관의 사람보다 뛰어나게 그 업무를 수행할 수 있어야 합니다.

해양경비에 있어서 뛰어난 경험이나 지식, 최고의 기술을 갖추고 있고, 또 해양안전이나 수상레저분야에 있어서도 높은 전문성을 갖추고 있다면 일류 해양경찰이 될 수 있겠죠. 그리고 수사에 있어서도 다른 부처나 다른 나라의 기관이 할 수 없는 특수한 수사기법이 갖추어져 있다면 역시 뛰어난 해양경찰이 될 수 있을 것입니다. 이렇게 되기 위해서는 현재 하고 있는 업무를 더욱 발전시키고 앞으로도 계속 연구하고 새로운 것을 개발해 나가야 하겠지요.

실질적인 전문성을 갖추게 되면 타 부처나 아니면 외국의 비슷한 해양경찰기관에서 우리 해양경찰교육원으로 교육을 받으러 오게 될 것입니다. 또는 외국의 해양교육기관으로 해양경찰교육원의 교수요원들이 파견 나가서 교육을 시킬 수도 있습니다. 이 정도의 수준이 되어야 한다고 저는 생각합니다.

우선 해양경찰관 전원의 마음을 움직일 수 있는 비전 문구를 만들어야 합니다. 어떤 내용이었으면 좋겠습니까?

해양경찰 비전(Vision)

[ ]

보기엔 멋있지만 실현하기 어려운 것이 되어서는 안 되고, 멋있으면서 실속이 있어야 합니다. 늘 해양경찰과 함께하는 상징물이 될 수 있는 것이어야 하겠습니다.

그것에 따라 많은 경찰관들이 자신의 역할을 잘 해내게 되고, 하는 일에 만족감을 느끼며 자부심과 긍지를 가지고 해양경찰이라는 것을 자랑스러워 하는 것이어야 하겠죠.

바람직한 조직의 미래를 만드는 데에는 몇몇 사람들이 참여하거나 또 짧은 시간에 이루어질 수는 없는 것입니다. 이러한 정책을 앞에서 이끌어 가는 사람과 구성원들이 함께 합심해서 같이 나아간다면 미래가 밝은 조직으로 발전할 수 있다고 생각합니다.

구성원의 현실이 좀 힘들더라도 '미래에는 우리 조직이 이렇게 발전한다.'라는 희망을 가지고 있다면 그것을 생각하면서 즐겁게 일할 수 있지 않을까요. 그리고 실제로 앞으로 나의 직장이 여건이 좋아지고 근무할 만한 조직이 된다면 얼마나 뿌듯하고 기분 좋은 일이 되겠습니까.

머지않은 장래의 시점에 해양경찰이 뛰어난 기관, 근무하기 좋은 조직으로 발전하기를 기대하겠습니다.

• 해양경찰 리더십 •

22. 해양경찰 일 잘하는 계기 2가지

△ ▲ △

이번 시간에는 해양경찰관이 일 잘하는 계기가 되는 두 가지 요인에 대해서 살펴보도록 하겠습니다.

해양경찰관 대부분이 자신의 역할을 잘 알고 열심히 자신의 일을 수행한다면 가장 좋겠죠. 그렇게 되면 아주 능력 있는 조직으로 발전할 수 있고 국민들이 좋아하고 믿을 수 있게 되겠죠.

해양경찰관이 열심히 일할 수 있는 두 가지 요인으로 작용하는 것은 과연 무엇일까요? 그것을 어떤 방법이나 기술보다는 그 계기를 마련해 주는 주체를 중심으로 살펴보려고 합니다.

첫 번째는 그 일을 하는 해양경찰관 개개인의 영역입니

다. 경찰관 각자가 자신이 하는 역할에 대해서 잘 알고 있고 업무를 잘 수행할 수 있는 지식이나 기술을 갖추고 업무를 성실하게 처리하는 것입니다.

아주 어렸을 때부터 해양경찰이 되려고 꿈을 꾸고 있는 사람도 있습니다. 그 사람은 해양경찰에 관련된 여러 가지 지식을 스스로 습득하고 공부하는 자세를 가지고 있고, 또 자신에게 필요한 해양계 계통의 학교에 진학하기도 합니다.

그것은 자기 자신의 꿈을 이루기 위한 선택이죠. 그들은 해양경찰이 되기 전부터 미리 준비를 많이 하여 자격을 갖추어 왔습니다.

또 어떤 사람은 해양경찰이 무엇인지 모르고 들어온 사람도 있죠. 경찰이라는 이름이 붙어 있으니까 육상경찰이나 별 다를 바 없다고 생각하고 육상경찰을 머리에 떠올리면서 해양경찰 시험을 쳐서 들어오는 사람도 있습니다. 그런 사람은 그때부터 해양경찰에 대해 배우게 되는 것이죠.

해양경찰 시험에 합격하고 난 후에 해양경찰교육원에서 해양경찰에 관련된 교육을 받게 되죠. 그런 과정을 거치면서 해양경찰에 관련된 업무나 지식, 또는 업무를 어떻게 수행할지 거기에 필요한 기술을 배워나가게 됩니다. 그런 것들이 모이고, 거기에다 현장업무를 경험하면서 전문성이 형성되는 것입니다.

그리고 해양경찰의 정신 또는 임무를 수행하는데 필요한 태도나 자세를 터득해서 자신의 직무능력과 잘 합쳐진다면 해양경찰관으로서 일을 잘하는 사람이 될 수 있을 것입니다. 이렇게 자신의 역할을 잘 닦아서 그 역할을 잘 수행한다면 가장 좋겠지만, 스스로 그 역할을 하지 않는 사람도 있는 것도 사실이죠. 이럴 때는 문제가 됩니다. 누군가 옆에서 도와주는 사람이 있어야 할 것입니다.

해양경찰이 업무를 잘할 수 있는 계기가 되는 두 번째는 바로 부서장을 통하는 것입니다. 부서장의 종류에는 여러 가지가 있죠. 작은 부서에서부터 큰 부서에 이르기까지 부서의 책임을 지고 있고, 같이 일하는 직원들을 이끌어 나가는 역할을 하는 사람들입니다. 이 부서장의 역할은 한마디로 리더의 역할을 하는 것입니다.

리더의 역할 중에 가장 중요한 것은 같이 일하는 구성원들이 일을 잘할 수 있도록 영향력을 행사하는 것이라 하겠습니다. 개인에 대한 성향을 파악하고 거기에 맞는 리더십을 펼쳐 각자가 역할을 제대로 할 수 있게 지도하고 이끌어 나가야 하는 것입니다. 이러한 노력으로 개인들은 일을 잘하게 될 수 있겠지요.

여기서 필요한 것이 바로 해양리더십, 해양경찰관의 리더십입니다. '해양리더십'이라는 용어를 제가 몇 년 전부터 사용했습니다. 해양경찰교육원 등에서 리더십의 전문가라고 하는 사람들이 교육생들에게 일반 리더십에 대해서 강의하는 것을 가끔 보아왔습니다. 그것이 완전히 잘못되었다는 것은 아니지만 정확하게 적용하려면 해양경찰에 맞는 해양리더십을 전하는 것이 옳다고 저는 생각합니다.

'해양리더십'이라는 것은 해양을 근무환경으로 하여 일하는 사람들, 그 사람들에게 리더가 일을 잘할 수 있게끔 어떤 영향력을 행사하는 것이죠. 그래서 그 조직이 일을 잘하게 되는 결과를 가져오게 하는 것입니다.

여기에서 질문을 하나 드리겠습니다.
"리더십이라는 것을 배우지 않고 계급만 올라가서 어떤 높은 자리에 앉게 된다면 리더십은 저절로 생길 수 있을까요?" 어떻게 생각하십니까?

리더의 역할이 무엇인지 리더십이 무엇인지를 정확하게

알지 못하고 있는 사람들에게 그들이 생각하고 있는 그 개념과 실제로 리더십이 무엇인지를 서로 비교해 가면서 설명해 보려고 합니다. 아주 기본이 되는 내용이지만 이 내용만 잘 알고 있어도 리더가 자신의 역할을 깨닫고 조직을 어떻게 이끌어 나가야 할지에 대해서 깨우칠 수 있을 것이라 생각합니다.

제가 2018년에 '꿈꾸는 자의 해양리더십'이라는 책을 만들었습니다. 그 안에 들어있는 내용 중 일부를 여기에서 한번 풀어보도록 하겠습니다.

많은 사람들이 리더십과 혼동하고 있는 개념이 있습니다. 그것은 바로 헤드십(headship)이라고 하는 개념인데요. 그것과 리더십(leadership)을 비교해 보도록 하겠습니다. 헤드십에서 헤드(head)라는 것은 어떤 조직에서 가장 높은 곳에 있는 사람을 비유한 것이라고 보면 되겠습니다. 이것을 직권력이라고 하기도 합니다.

[표7] 헤드십과 리더십의 비교

Headship(직권력)	Leadership(지도력)
공식적 지위에 따른 권위	지도자 자신의 권위
제도적 권위	심리적 권위
자발성 · 공감 비전제	공감 · 일체감 강함

첫 번째, 헤드십이라는 것은 공식적인 지위에 따른 권위입니다. 그 반면에 리더십은 리더 자신에게서 나오는 권위입니다. 헤드십을 이해하기 위해 가령, 공문상으로 어떤 사람을 한 자리에 임명했다고 하겠습니다.

예를 들어 '1월 1일부터 12월 31일 까지' 어떤 자리에 그 사람을 앉혔다면, 가령 경찰서장으로 보임했다면, 그전에는 리더십이 있었습니까? 또, 그 기간이 지나가도 리더십이 계속 남아 있습니까?

공식적으로 그 사람에게 지위나 직책을 주었다는 것은 그 기간이 지나가면, 한마디로 유효기간이 만료가 되는 것이죠. 임기가 만료되었는데도 그 사람이 계속해서 리더십을 발휘할 수 있습니까? 이런 게 헤드십의 관점입니다.

그러나 리더십이라는 것은 그 사람이 앉은 자리나 공식적으로 인정하는 그런 권위와 관련 없이 자신의 권위, 자신의 능력으로부터 나오는 것입니다. 따라서 특정 자리를 물러나도 그 사람에게는 리더십이라는 자질이 계속 있는 것입니다.

두 번째, 헤드십은 제도적인 권위이고, 리더십은 심리적인 권위라는 것입니다. 앞에서 말씀드렸듯이 헤드십이라는 것은 언제부터 언제까지 그 자리에 앉아 있는 동안 자신의 권위를 행사할 수 있는 것이죠. 그런데, 공무원인 경우에는 정년이라는 것이 있고, 언제까지나 한자리에 그냥 앉아 있을 수는 없는 것 아니겠습니까?

평소에 리더십에 대해서 공부를 하고 자신이 그것을 닦아왔다면, 그 역할을 잘할 수 있을 것입니다. 그러나 그것을 모르고 그 자리에 앉다 보니까 자신이 생각했던 것 또는 선배들에게 배웠던 것, 이런 것을 바탕으로 해서 리더십을 발휘하려고 하다 보니까 제대로 안 된다는 것입니다.

자신이 지휘관이나 부서장으로 있는 그 공식적인 기간이 지나면 어떤 마음이 들까요? 아마, "곧 이 자리를 떠나게 되면 이제 힘이 없어지는 것 아닌가?" 하는 생각이 들지 않을까요?

그렇지만 리더십은 심리적인 권위입니다. 항상 '나는 리더로서의 역할을 할 수 있다.'는 그런 자신감이 있는 것이죠. 바로 그것은 리더십이 무엇인지 평소에 잘 알고 그것을 닦아왔다는 것입니다.

세 번째, 헤드십과 리더십을 비교하는 마지막 기준입니다. 그 리더와 같이 일을 하는 구성원의 입장에서 살펴 보도록 하겠습니다. 헤드십의 경우에는 구성원들에게 어떤 지시나 명령을 했을 때 자발적으로 그것을 따르려고 하지 않는 측면이 있습니다. 자발성과 공감이 사전에 전제되어 있지 않다는 것이죠.

그러나 리더십을 알고 있는 리더는 같이 일하는 구성원들에게 하는 지시에도 공감과 소통이 적용되어 있으므로 일체감을 형성하게 되어 있습니다. 리더십의 요소를 하나하나 발휘할 줄 아는 것입니다.

이상 헤드십과 리더십에 대해서 비교해 보았습니다.

이 내용을 잘 알고 있기만 해도 리더로서 개개인들을 잘 이끌어 나가고, 일을 잘하게 하는 역할을 해낼 수 있는 기본을 갖추었다고 생각합니다.

지금까지 해양경찰관이 자신의 일을 잘할 수 있게 하는 계기가 되는 요소에 대해서 그 주체가 누구인지에 대해서 살펴보았습니다. 하나는 개개인이 스스로 하는 것이고, 또 하나는 상급자나 부서장들이 그렇게 만드는 것입니다.

"개인을 일 잘하게 하는 것, 그것은 바로 자기 자신과 리더십이다!"

23. 해양리더십

△ ▲ △

저번 시간에 해양경찰관이 일 잘하는 계기가 되는 요인을 살펴보면서 리더십의 개념이 나왔습니다. 그것을 조금 더 파악하기 위해서 이번 시간에는 해양리더십에 대해서 알아보도록 하겠습니다.

먼저 리더십의 의미에 대해서 살펴보도록 하겠습니다.

리더십(leadership)이란 것은 leader와 ship이라는 것이 합쳐진 단어이죠. 리더가 되는 사람은 리더의 자질이나 정신을 가지고 있어야 한다는 뜻으로 보면 되겠습니다. 우리는 보통 리더십이라고 하지만 우리말로 통솔력이나 지도력이라고 할 수도 있습니다.

리더십이란 주어진 상황하에서 조직의 목표를 달성하기

위하여 구성원이 (   ) 움직여 나가도록 유도하는 능력입니다. 어떻게 움직이도록 유도하는 것인지 떠오르는 것이 있나요?

바로 '자발적으로'라는 말입니다. 구성원이 자발적으로 움직여 나가도록 유도하는 능력이 바로 리더십이죠. 리더가 되는 사람이 강제적으로도 일을 명령하고 지시할 수 있을 것입니다. 그렇게 되면 그 구성원들은 마지못해 따라 하기는 하겠지만 열심히 하거나 자발적으로는 일하지 않을 것입니다. 이것은 진정한 리더십이 될 수 없겠죠.

가장 좋은 것은 일하는 사람들이 자기 스스로 움직여 나가서 일을 잘할 수 있게 하는 것이 가장 중요하다는 것입니다.

리더십에 필요한 구성요소는 먼저 리더가 있어야 할 것이고, 그리고 리더를 따르는 구성원과 집단, 상황, 과업이 있어야 리더십이 제대로 발휘될 수 있습니다.

리더는 구성원과 함께 조직이 목표로 하는 일을 추진하여 성과를 내어야 하는 역할을 해야 하는데 그러기 위해서 관심을 갖는 분야가 있습니다. 그것을 두 가지로 요약하면 과업(일)에 대한 관심과 인간(구성원)에 대한 관심입니다.

리더는 같이 일하는 사람들에게 어떤 일을 부여하는 것, 구성원들이 일을 열심히 하는 것에 관심이 많이 있습니다. 그런데, 그 일을 강제로 시킬 수 없으므로 구성원들에게 인간적으로 대해주는 배려심이 필요합니다.

그래서 리더가 관심을 가지는 분야는 과업이 우선이겠지만, 동시에 같이 일하는 사람, 구성원, 즉 인간에게도 관심을 보입니다.

이것을 그림으로 표현해 보겠습니다.

[그림1] 리더의 관심분야

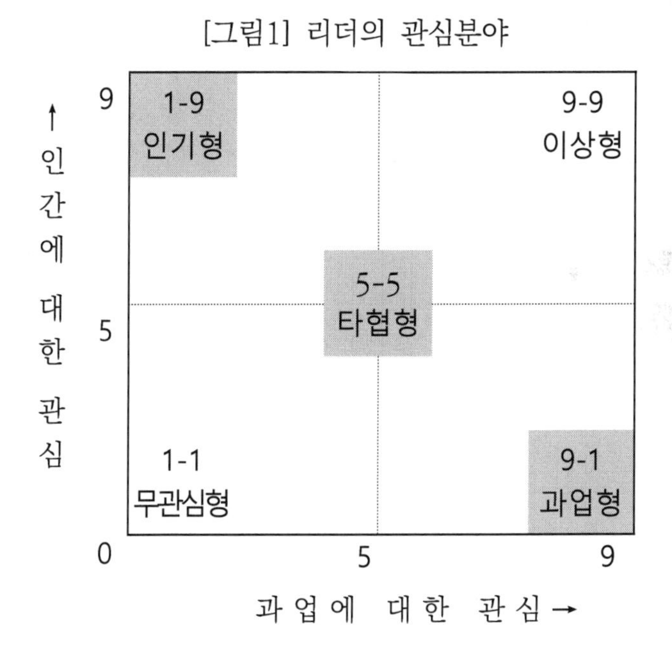

먼저, 과업에 관심을 많이 가지고 있고, 같이 일하는 구성원에게는 그다지 관심을 두지 않는 유형을 과업형이라고 합니다. 일을 너무 많이 시키는 리더가 여기에 해당합니다.

두 번째, 인간에 대해서 배려심이 큰 반면에 일은 조금밖에 시키지 않는 유형을 인기형이라고 합니다. 인간에게 관심을 너무 많이 쏟다 보니까 일은 조금밖에 시킬 수가 없겠죠.

그림에서 가장 이상적인 것은 무엇이겠습니까?

과업에 대해서도 관심을 많이 갖고 인간에 대해서도 관심을 많이 갖는 그런 리더가 되겠죠. 그 유형을 이상형이라고 부릅니다. 일도 많이 시키고 구성원들을 배려도 많이 하는 사람, 현실적으로 좀 보기 힘든 유형이지 않을까요.

그래서 중간 정도에 해당하는 모델을 타협형이라고 해서 두고 있습니다. 이 유형에는 과업에 대해서도 어느 정도 관심을 가지고 있고, 인간에 대해서도 관심을 갖는 사람이 해당됩니다.

다음으로 리더십의 관점 변화를 한 번 살펴보겠습니다.

시대가 변할수록 거기에 맞추어 리더십에 대한 관점도 바뀌어 갑니다.

[표8] 리더의 관점 변화

과거의 리더		현재의 리더
- 강제적 지시, 명령 - 관리감독, 통제 - 기존질서 유지	⇨	- 솔선수범, 공감 - 동기부여, 소통 - 변화, 혁신 추구

과거의 리더는 강제적인 지시와 명령을 했다면, 현재의 리더는 모범을 보이고 구성원과 공감을 이루는 리더라고 할 수 있습니다. 과거의 리더가 부하를 통제했다면, 지금은 동기를 부여하고 소통하는 방식을 취하는 것입니다.

해양경찰은 주로 해양을 무대로 하여 일을 하는 조직이기 때문에 해양리더십을 제대로 사용할 수 있어야 합니다. 해양리더십은 기본개념은 리더십과 같지만, 일하는 환경은 완전히 다르기 때문에 그에 적합하게 적용되어야 하는 점이 관건입니다. 마치, 경찰 - 해양경찰의 관계와 비슷하다고나 할까요.

해양리더십이 필요한 이유는 무엇이겠습니까?

바로 리더의 역할 수행입니다. 리더가 자기 자신의 역할을 잘해야 한다는 것에 중점을 두는 것입니다. 단순히 리더십의 개념만 안다고 해서 되는 게 아니라 제대로 펼쳐야 하는 것입니다. 그러기 위해서는 리더가 자신이 하는 역할의 중요성을 먼저 인식해야 합니다. 그 바탕 위에서 리더십을 발휘하게 된다면 리더의 역할을 통하여 원하는 목표를 달성할 수 있을 것입니다.

이제 해양리더가 꼭 가지고 있어야 할 리더십의 핵심요소를 살펴보도록 하겠습니다. 그 요소는 명확하게 정해져 있는 것이 아니며 제가 생각해서 정리한 내용은 다음과 같습니다.

[표9] 해양리더가 갖추어야 할 핵심요소

[리더의 가치관]
- 일체감 형성
- 신뢰감 형성
- 비전 제시

[업무처리 능력]
- 전문성
- 환경 적응성
- 위기관리 능력

[조직관리 및 소통]
- 원활한 의사소통
- 전체를 보는 시각
- 사람을 알아보는 눈
- 자신감

이상으로 해양리더십의 일부분에 관한 내용을 살펴보았습니다. 이따금 근무가 힘들 때 이러한 내용을 한번 떠올려 보아서 하는 일에 활력을 넣을 수 있는 수단이 되었으면 좋겠다는 생각을 해 봅니다.

앞으로 한 조직에서 오랫동안 근무할 사람에게 리더십은 꼭 필요한 요소이므로 찬찬히 잘 터득하여 활용하기 바랍니다. 〈꿈꾸는 자의 해양리더십 참조함〉

24. 현장 해양리더십 사례❶

△ △ △

해양리더십은 해양경찰관이 관리자로 성장하는 과정에서 필요한 자양분이 되어 줍니다. 여기서는 해양경찰 현장의 리더십 사례 한 가지를 소개해 드리고, 그것과 관련하여 이야기를 하려 합니다. 이 내용은 제가 지은 책 '꿈꾸는 자의 해양리더십' 안에 수록되어 있는 것입니다.

실제로 해양경찰 치안현장에서 일어나고 있는 경찰관들의 경험담을 그대로 표현한 것입니다. 저는 글을 정리하여 책을 쓰면서 자기 자신을 내세우지 않는 '숨은 리더의 강한 메시지' 라는 이름을 붙여 보았습니다. 지금부터 같이 살펴보겠습니다.

자신을 향한 다짐

해양경찰이 된 지 20여 년이 흘렀는데, 그동안 소형 경비정에 근무하다 처음으로 대형 함정에 배치받아 안전팀장이라는 직책을 맡게 되었다. 처음 접해보는 직책에 대한 부담감이 큰 상태에서 근무를 하게 되었고, 해상종합훈련을 받는 등 업무를 수행하였지만 숙달되지 못하여 스스로는 만족하지 못한 채 시간이 흘러갔다.

마침 다른 지역에 사고가 발생하여 수색지원을 가게 되었고, 며칠 후 사고 현장의 해상에서 투묘(해저에 닻을 내리는 것)를 하는 일이 생겼다. 동해에서는 수심이 깊어 투묘를 하는 일이 거의 없었고, 소형정만 탄 까닭에 이론적인 지식만 있고 실제로 경험은 없었다. 그 일이 안전팀장의 임무인 만큼 현장에서 투묘를 지휘하게 되었다. 훈련과는 달리 실제 투묘를 하면 닻줄의 방향과 각도를 함교에 보고해야 하고, 그러면 조타실에서 조함을 하면서 정상적으로 투묘를 하게 된다.

업무처리를 정확히 할 줄 몰라 갈피를 못 잡고 있을 때 함장님이 내려오셨다. 나는 속으로 '혼이 나겠구나.'하는 생각을 했는데, 함장님의 목소리는 의외로 부드러웠다.

"안전팀장, 투묘 한 번도 안 해봤지?"하며 별일 아닌 듯 웃고 계셨다. 그리고 투묘를 할 때 팀장의 역할에 대하여 설명하시고, 함장님이 직접 시범을 보이면서 닻줄의 방향과 각도를 보는 방법 등을 자세히 알려 주셨다. 짧은 시간 나는 감명을 받고 말았다.

'이런 지휘관도 계시는 구나...'

시간이 흘러 투묘하는 일은 익숙해 졌고, 어느 날 조타실에서 업무를 하던 중에 옆에 있던 의경과 대화를 나누다 우연히 함장님에 대한 이야기가 나왔는데, 그 의경이 들은 말이 있다며 이야기를 해 주었다.

"함장님과 의경과의 대화의 날에 들었는데 말입니다. 함장님께서 매일 아침 일어나면 거울을 보면서 반복하시는 말이 있답니다."

그 말은 바로 "권위 의식을 갖지 말자." "권위 의식을 갖지 말자." "권위 의식을 갖지 말자."라는 것이었다.

함장님과 함께 근무한 기간 동안 그분이 보여준 인상은 내가 지금껏 근무하면서 본적이 없는 다른 세상의 지휘관 같았다. 동네 아저씨 같이 편안한 이미지에 조함 실력, 지휘능력, 부하직원을 대하는 성품, 함정 전반에 대한 지식 등 어느 하나 부족함이 없는 훌륭한 분이었다. 그해 우리는 훈련평가와 업무수행평가 모두 우수한 성과를 내었다.

함정직원 누구 하나 함장님을 험담하는 사람이 없었고, 모두 그와 함께 근무하는 것을 행운이라고 생각하였다. 그 분을 떠올리면 '지휘관으로서 상부에서 받는 압박이 있을 텐데, 그로 인한 스트레스도 있을 텐데, 직원들에게 잘해주고 싶어도 어쩔 수 없는 경우도 있을 텐데..., 나도 그런 지휘관이 될 수 있을까?'라는 생각을 하게 된다. 이제는 같이 근무하지 않지만, 다시 근무하고 싶어도 함장님의 정년이 얼마 남지 않아 그럴 수 없는 것이 아쉽다.

이 내용을 잘 읽어보셨죠. 읽어보니 어떤 느낌이 들었습니까? 우리 주위에는 이름이 나지 않고 인기도 없지만 리더십을 제대로 발휘하는 숨은 리더가 있습니다. 그들은 구성원과 어우러져 업무를 달성하면서 조직의 목표를 잘 수행하고 대가는 크게 바라지 않는 사람들입니다. 이런 분들이 진정한 해양리더십을 발휘하는 주인공이라고 생각합니다.

반면에 계급은 높이 올라가지만 리더십의 본질을 자세히 알지 못하고 제 역할을 잘할 줄 모르는 사람들도 있죠. 그들보다는 훨씬 훌륭한 분들, 강한 리더십을 펼치는 숨은 리더들, 이런 훌륭한 리더가 많이 생겨나기를 저는 진심으로 기대하고 있습니다. 사례에 등장하는 함장님처럼 그 자리에서 자신의 역할을 다하고 있는 리더분들에게 응원의 마음을 전해 드립니다.

25. 현장 해양리더십 사례❷

△ △ △

해양경찰 현장에서 이루어지는 리더십 사례를 찾아보면 거기에 나오는 주인공들은 자신을 드러내지 않지만 리더로서의 역할을 충실히 해내는 진정한 리더라고 할 수 있습니다. 조직의 목표를 훌륭하게 수행해 내고 같이 근무하는 구성원들에게 존경을 받는 리더의 역할을 잘하고 있기 때문입니다.

이번 시간에도 자신의 역할을 잘하면서 리더의 자질을 가지고 있는 리더십 사례 하나를 소개해 드리겠습니다. 현재 리더의 위치에 있지는 않지만 리더의 자질을 지니고 있는 김경장에 관한 이야기입니다. 자, 같이 한 번 살펴보실까요.

우리 모두의 리더

500톤급 경비함정에 발령받은 나는 해상특수기동대에 편성되어 불법 중국어선 단속과 수사업무를 담당하게 되었다. 뉴스에서 접하던 불법조업 중국어선 나포를 막상 해 보니 전쟁터가 따로 없다는 생각이 들었다. 작은 단정에 몸을 맡긴 채 중국어선에 접근하여 오르려 할 때 각종 흉기를 들고 격렬하게 저항하는 상황에 처하면 전쟁이 따로 없다는 생각이 들 수밖에 없다.

내가 포함된 해상특수기동대원 중에는 김경장이라는 단속 경험이 가장 많은 경찰관이 있다. 계급은 경장이지만 검색팀장 자리를 차지하고 있던 그는 대형 함정 몇 군데를 거친 중국어선 단속에는 최고의 실력자라 할 수 있다.

어느 날 중국어선 12척이 연계하여 우리 단정으로 돌진해 왔을 때 꼼짝없이 죽었다고 생각하던 그 순간, 사제 총을 발사하던 중국어선 조타실을 향해 당당히 맞서 권총을 쏘던 사람은 김경장 이었다.

또 어느 날은 중국어선을 나포하고 돌아왔는데 거친 파도로 인해 단정이 이탈해 해상에 표류하자 주저 없이 헤엄쳐 철인처럼 단정을 찾아 돌아오는 사람도 그였다.

불법 중국어선을 나포하던 우리 직원이 선장의 칼에 찔려 순직한 사건이 발생한 후에 총기사용 가이드라인을 만들기 위해 경비국장님이 현장에 내려오셨다. 중국어선 단속에 열정이 많았던 경비국장님은 우리들을 불러 모아놓고 중국어선을 단속할 때 총기를 사용해도 좋다는 취지의 말씀을 하시고, 한명 한명을 마주 보면서 그렇게 하겠다는 대답을 받아내고 있었다.

그런데 김경장이 이에 반대하고 나섰다. 그러자 국장님은 사망사고가 나도 감찰조사를 받지 않게 하겠다는 약속을 했다. 김경장을 눈여겨본 국장은 다시 물었다.

"중국어선 단속에 애로점이 뭐냐?" 하자, 김경장은 "말 안 할 겁니다."라고 단호하게 말했고, 같이 있던 다른 대원들은 바짝 긴장할 수밖에 없었다.

"뭐야, 빨리 말해." 국장은 화가 치밀었다. 그래도 말하지 않자 국장은 그 까닭을 물었다. "왜 그러냐, 그 이유나 들어 보자."

그러자 김경장은 "제가 그동안 그 문제점을 첩보로 제출했고, 본청으로 보고도 했으며, 워크숍 같은 기회가 있을 때마다 문제를 제기했는데 이 열악한 상황이 개선된 것이 없습니다. 지금 말하면 무엇이 다릅니까?"고 말했다.

국장님은 "당장 개선해 주겠다. 말해봐라."하였고, 김경장은 미리 준비한 듯이 삼십 분에 걸쳐 중국어선 단속 시 문제점 아홉 가지를 거침없이 나열하였다. 그 모습은 우리 바다를 지키기 위해 모든 것을 건 전문가의 모습이었다.

김경장의 건의가 있고 난 뒤 경비국장님의 약속대로 방검부력조끼와 헬멧, 채증 장비 등 현대화된 단속 장비가 보급되었다.

언젠가 함정 통로에서 눈을 감은 채 팔을 벌리고 걷고 있는 그를 발견하고 깜짝 놀라 물었다. "너 도대체 뭐 하고 있어?" 그러자 "형님, 이 함정에 사고가 생기면 당장 아무것도 보이지 않게 되지 않을까요. 미리 준비해 놓으면 차분히 대응할 수 있어요."라고 했다.

그리고 그가 평소에 늘 하던 말이 있다.

"해상에서는 차분하고 냉정해야 합니다. 저도 때로는 겁나지만 그것을 이겨내야 합니다. 겁은 공포가 되고, 공포는 이성을 잃는 것이니까, 우리가 그렇게 되면 안 되잖아요." 그렇게 그는 해양경찰로서 마인드 컨트롤을 해 온 것이다.

리더십은 높은 사람의 전유물이 아니다. 자신이 맡은 일에 대한 자신감, 자신을 바라보는 사람들이 주는 신뢰, 그는 우리에게 반드시 필요한 사람이다. 계급은 낮지만 우리 모두의 리더이며, 후배지만 그를 존경한다.

지금까지의 내용 잘 보셨죠. 이 사례를 읽어보고 어떤 느낌을 받았나요?

현재의 계급은 비록 낮지만 여기 나오는 김경장은 리더로서의 역할을 잘할 수 있는 자질을 충분히 갖추었다고 할 수 있겠습니다.

제가 저번에 리더십과 헤드십에 대해 비교해서 설명을 드린 적이 있죠. 리더십은 리더 자신으로부터 나오는 심리적인 권위이고, 헤드십은 그 사람의 직책에서 나오는 권위라고 했었습니다. 혹시라도 현재 김경장의 계급이 낮기 때문에 리더가 될 수 없다고 생각하는 분이 있다면 그것은 잘못된 생각입니다. 지금도 다른 구성원에게 좋은 영향력을 미치고 있기 때문입니다. 또 계급이라는 것은 시간이 지나면 올라가게 되어있는 것 아니겠습니까.

그것보다 더 큰 문제는 계급은 높이 올라갔는데 리더십의 내용을 몰라서 리더십을 발휘할 수 없다면 그건 아주 무서운 것입니다. 계급이 높이 올라간 그 사람이 리더로서 역할을 제대로 못하게 된다면 같이 일하는 구성원과 그 조직의 입장에서 보면 아주 불행한 일이죠. 리더로서의 역할을 해 주기를 기대하고 있는데 그렇지 못하니 큰일이 아니겠습니까?

리더십의 핵심은 그 사람의 계급이 높으냐 낮으냐 하는 것이 아니라 리더로서의 자기 자신의 역할을 제대로 할 수 있느냐 없느냐 하는 것입니다. '리더로서의 역할을 하는 것' 그것이 가장 중요한 것이죠.

여러분도 지금부터 리더십의 자질을 닦아서 앞으로 리더로서의 직책을 맡았을 때 자신의 역할을 잘 수행해 낼 수 있는 사람들이 되기를 기대 하겠습니다.

• 해양경찰 채용시험 준비생에게 •

26. 가장 좋은 공무원은 어디인가, 해양경찰은 어떤가?

△ △ △

글을 시작하면서 몇 가지 질문을 던져보겠습니다.

"공무원 중에서 어떤 공무원이 가장 좋다고 생각하십니까?"

"여러분이 공무원이 되려고 한다면 어떤 공무원이 되기를 원하십니까?"

또 그것과 관련하여 우리 사회에서 많은 사람들이 인식하고 있는 그 기준에 따르는 편인지, 아니면 여러분만의 특별한 기준이 있는지도 궁금합니다. 그리고, 자신만의 기준이 있다면 그 기준은 어떻게 만들어진 것인지도 묻고 싶네요.

흔히 사람들이 말하는 권력이 있다거나 아니면 돈을 많이 벌 수 있다거나, 안정된 곳이라거나, 자기의 적성이나 선호에 맞는 곳이거나.. 하는 등의 기준이 정해져 있나요?

그 이전에 여러분은 어떤 직업이 좋은 직업이라고 생각하십니까?

제가 유튜브를 가끔 보다 보면 여러 종류의 공무원에 대해 소개를 하며 "OO 공무원이 좋다, 00 공무원은 좋지가 않다, 이런 직업은 좋다, 저런 직업은 좋지 않아서 그만두고 나왔다" 등, 장단점을 소개하는 영상들을 봅니다.

그런 영상들을 보면 솔깃한 생각이 드시나요. 아니면 자신만의 기준이 있기 때문에 의견이 다른 것은 탐탁하게 생각하지 않나요?

한편으로는 대부분의 사람들이 '다 비슷비슷하지 않겠나' 하는 생각도 해 보지만, 사람마다 여러 가지 생각이나 경험, 교육을 받고 자라온 환경이 다르기 때문에 자신만의 독특한 생각을 가지고 있을 것이라는 생각도 해 봅니다.

어떤 유튜버가 공무원 중에서 한 직별을 소개하면서 "이 직별은 이런 부분은 참 안 좋다. 그래서 이 직별을 선택하지 말고 다른 쪽으로 가는 것이 좋을 것 같다." 이런 이야기를 하는 것을 본 적이 있습니다. 그 이유로 직원 간의 갈등문제를 들고 있었습니다.

어떤 직별을 소개하면서 장단점을 이야기할 때 그 직별만의 특징을 이야기하는 것이 옳겠지요. 그런데 그게 아니라 직원 간에 일어날 수 있는 일을 가지고 그 직업을 평가하는 것은 초점이 빗나간 것이라고 봅니다. 조금만 더 넓게 생각해 보면 그런 내용들은 다른 모든 직업에 해당하는 것일 수 있습니다. 왜냐하면, 조직이라는 곳에는 사람이 있고, 사람 간에 일어나는 일들은 직업의 내용이 달라도 거의 보편적인 내용을 이루는 부분이기 때문입니다.

조직 구성원 간에 일어나는 일들은 그 공직사회에서만 일어날 수 있는 일이 아니라 사람의 특성에서 나오는 것이기 때문에 다른 조직에서도 일어날 수 있는 것입니다. 제가 하고 싶은 이야기는 어떤 직업에 관한 정보를 파악할 때는 그 조직에만 있는 특성을 보아야 한다는 것입니다.

2022년을 살고 있는 우리가 느끼고 있는 우리사회의 특징 중에 첫 번째로 꼽히는 것이 '나노사회'라는 것 잘 아시죠. 이것은 '트렌드 코리아 2022'라는 책을 통해 나온 이야기이긴 합니다만, 요즘 우리 사회에서 흐르고 있는 트렌드가 그렇다는 것입니다. 사회를 구성하는 개인 각자가 뿔뿔이 흩어져있는 사회, 그런 흐름이 주를 이루는 사회에서 집단이나 조직 생활을 그렇게 선호할 수는 없겠죠. 그런데, 공직사회나 아니면 직장이라는 테두리 안으로 들어가서 일을 하려고 하면 현재 사회의 트렌드와는 다른 방식으로 살 수밖에 없습니다.

제가 해양경찰에 대해서 설명을 하면서 해양경찰을 선택할 때는 반드시 사전에 꼼꼼히 따져보고 결정을 하는 것이 필요하다는 이야기를 많이 합니다. 그 이야기는 직업을 구할 때 자신이 원하는 곳이 어딘지를 잘 파악해서 가는 것이 가장 좋다는 뜻에서 하는 것입니다.

그리고 해양경찰 조직의 입장에서 본다면 해양경찰에 대해서 파악하고 알고 난 후에 “나는 그 직장이 아니면 안되겠다.” 해서 해양경찰에 도전하는 사람, 정말 해양경찰을 하고 싶은 사람이 들어오는 것이 가장 좋지 않을까요.

해양경찰에 가서 일은 좀 적당하게 하면서 공무원으로서의 품위는 유지하고 또 봉급은 남 못지않게 받는, 그런 것을 꿈꾸고 있다면 해양경찰이 원하는 사람은 아니라는 것입니다. 그런 사람은 실제로 해양경찰이 원하는 인재상에 적합하지 않은 사람이라고 봅니다.

[표10] 해양경찰 인재상

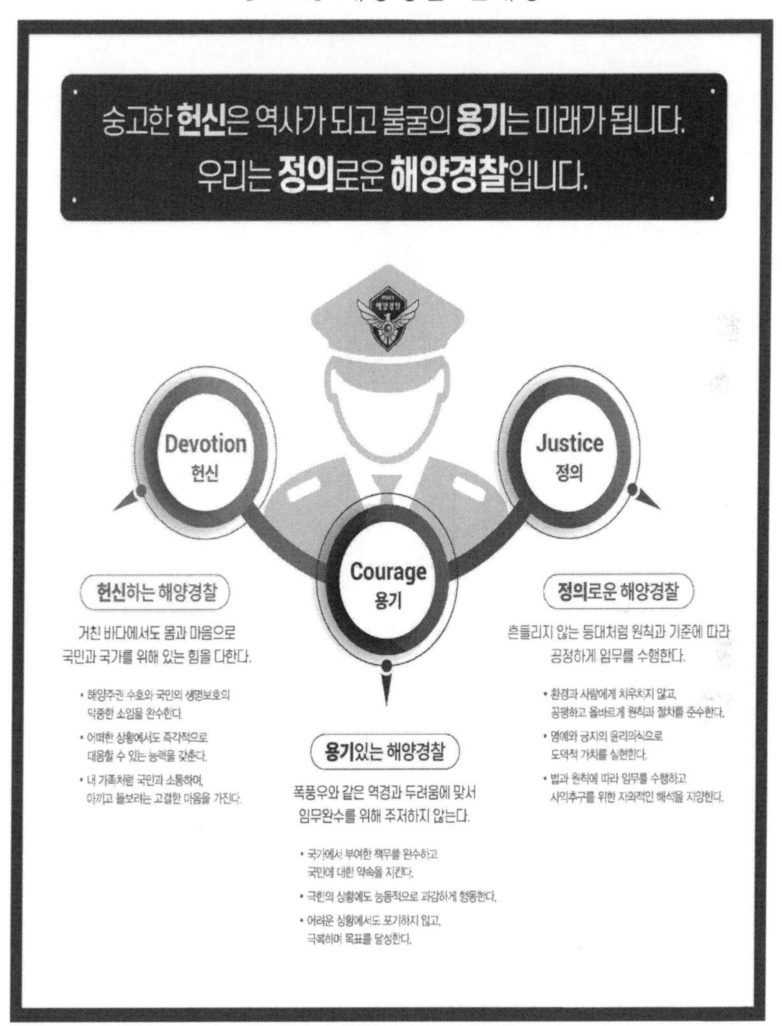

출처 : '해양경찰 채용'사이트, https://kcg.uwayapply.com/

사회에서 사람들이 공무원은 안정적이고 오래 근무할 수 있고 살아가는 데 좋은 직장이라고 말을 하죠. 그럴 때 그러한 공직사회를 선택해서 일을 하는 사람들은 그 일을 하는데 적성이 맞고 그 일을 하기에 적합한 사람이어야 된다는 조건이 먼저 갖추어져야만 한다고 생각합니다.

내가 그 직업을 통해서 어떤 것을 얻고 나의 어떤 부분을 이룰 것인가 하는 점을 생각해야 되겠죠. 그런데 그것과 함께 또 생각해야 할 점이 있습니다. 그것은 '내가 그 직업에 맞는 사람이며 그 직장에서 역할을 잘하면서 충실하게 일을 할 수 있는가, 나는 그 직장에 적합한 사람인가' 하는 것도 같이 생각해야 한다는 점이죠.

해양경찰을 선택할 때도 마찬가지입니다. 해양경찰이 좋은 직장이어서 들어가기도 하겠지만, 그것과 함께 내 적성이 거기에 맞는 것인지, 그리고 내가 그 역할을 잘 해낼 수 있을 것인지를 점검을 하고 지원을 하는 것이 옳다고 생각합니다.

어떤 조직이 좋은 조직이라고 할 수 있는 것은 거기에서 일하는 사람들의 능력과 자질이 거기에 합당할 정도로 평가될 수 있어야 한다고 생각합니다. 해양경찰이 공무원의 직별 중에서 좋은 곳으로 인식되기 위해서는 거기에서 근무하는 경찰관들이 그런 마음을 가지고 있어야 된다고 생각합니다. 누가 만들어 주는 것은 아니거든요.

제가 여러분에게 해양경찰은 이러이러한 점에서 아주 좋은 조직이라고 말씀을 드려서 들어오는 것보다 여러분이 먼저 나는 해양경찰에 적합한 사람인지를 파악하고 열심히 노력해서 들어오는 것이 더 낫지 않을까요.

해양경찰에 몸담았던 선배 경찰관으로서 후배가 될 새로운 해양경찰관이 자부심을 가지고 치안현장에서 자신의 역할을 다하면서 국민으로부터 칭찬을 받는 사람들이 많이 들어왔으면 좋겠다는 기대를 항상 가지고 있습니다. 그런 사람들이 해양경찰관이 되는 것이 가장 바람직하다고 생각하는데, 어떻게 생각하시나요?

27. 해양경찰을 선택할 때 고려사항

▸ ▸ ▸

이 글을 쓰면서 꼭 읽어보기를 기대하는 대상은 바로 해양경찰에 관심을 두고 자세히 알아보려는 사람들입니다. 해양경찰을 선택하거나 또는 채용시험을 준비하는 과정에 있어서 조금이라도 도움이 될 수 있는 이야기를 해 볼까 합니다. 여러분이 제가 하는 말에 관심을 가지는 이유는 두 가지라고 생각합니다.

하나는 내가 해양경찰이 꼭 되어야겠다고 마음먹고 있는 사람이 좀 더 깊이 있고 상세한 내용을 접해서 나에게 도움이 될 수 있는 쪽으로 활용을 해 보고자 하는 것이 있을 것입니다.

또 하나는 내가 지금 직업을 선택하는 과정에 있는데 어떤 직업이 좋을지 탐색을 하면서 해양경찰도 한번 알아보자는 그런 사람이 있을 것입니다.

그럴 때, 첫 번째 경우에는 관련된 모든 부분을 다 알아보고 해양경찰이 되기로 결심한 사람이고 시험에 합격하기 위해서 열심히 노력하고 있을 거라고 봅니다. 이분들에게는 '해양경찰 시험 단계별 대비 방법'을 비롯한 시험준비방법과 관련된 내용을 읽어 볼 것을 말씀드립니다. 이제 시험에 몰두하여 꾸준히 그 길로만 간다면 좋은 결과를 만나게 될 것입니다.

두 번째 경우에는 아직 결정을 하지 않았기 때문에 여러 가지 조건들을 따져보고 있겠죠. '시험공부는 어떻게 해야 할 것이며, 또 합격하고 나면 교육을 어떻게 받고, 교육을 받고 나면 발령지는 어디이며, 또 봉급은 얼마이며...' 하는 내용일 겁니다.

직업을 선택하는 과정에서 '해양경찰을 나의 직업으로 채택할 수 있을 것인가' 하는 시점에 있다면 그런 것들을 잘 점검해 보고, 또 나의 적성에 맞는 것인지를 확인한 후에 결정을 하기 바랍니다.

그런데 제가 꼭 말리고 싶은 사례 하나는 '생활하기 위해서, 보수를 받아서 살아가기 위해서 해양경찰이 되려는 사람' 그것만은 꼭 말리고 싶습니다. 해양경찰이라는 것이 생활하기 위해서 얻는 직장이 되어서는 안됩니다.

현재 직업이 없는 사람에게는 당장 수입이 필요하겠죠. 그렇지만 직업을 가지는 것은 '돈을 버는 것' 이외에도 얻어지는 가치가 많이 있습니다. 저는 그것보다 더 소중한 것을 말씀드리려는 것입니다.

'내가 해야 할 일의 중요성, 나의 적성에 맞는 직장, 또 내가 그 일을 했을 때 가장 잘 해낼 수 있고, 자부심을 느낄 수 있는 직장' 그런 직장이 해양경찰이어서 지원한다면 저는 매우 환영합니다.

직업을 선택한다는 것은 '앞으로 장기간에 걸쳐서 그곳이 나의 삶터가 되고 그곳에서 생활하면서 나의 많은 것을 바치고 거기에서 보람을 느끼고' 하는 곳을 찾는 것입니다. 만약에 해양경찰이 된다면 나의 신분과 정신, 일과 생활이 모두 그것과 결부되기 때문에 잘 살펴보고 결정해야 한다는 것입니다.

개인이 직장을 선택하면서 '해양경찰이라는 직장이 있는

데 내가 가진 실력으로 그곳에는 들어갈 수 있겠다.' 해서 시험공부를 하고 시험에 합격해서 해양경찰이 된다면 뒤늦게 지금까지 자신이 생각하지 못했던 조건들이 눈에 띄기 시작할 것입니다.

그래서 그 조건들이 자기 자신에게 맞지 않는다면 후회를 하거나 다른 직장을 찾게 되겠죠. 그것도 되지 않는다면 불만을 품은 채로 계속해서 근무할 수밖에 없겠죠.

그런 것은 본인에게 아주 불행한 일이고 조직에도 좋지 않은 영향을 끼치게 됩니다. 그러니까 사전에 직업을 찾을 때 개인의 선택이 중요하다는 것입니다.

블로그나 유튜브 등에서 제가 본 내용을 한번 말씀드려 보겠습니다.

"해양경찰에 합격했고 동시에 일반회사에도 합격했는데 어디에 가면 좋겠습니까?" 하고 질문을 던진 사람이 있고 또 거기에 답글을 쓰는 경우를 보았습니다. 이런 경우에는 더 좋은 곳을 선택하겠다는 것인데, 그 기준이 무엇인지 짐작이 될 것 같네요. 그러나 해양경찰과 일반회사를 단순비교하는 것은 무리가 있다고 생각합니다.

경찰관이 하는 일과 일반 직장인이 하는 일의 성격은 많이 다르다는 것을 생각해 보아야 할 것입니다. 또, 업무의 환경이나 여건, 일의 강도나 위험성 등 여러 부분에서 차이가 나는 점을 고려해야 할 것입니다.

직업으로 해양경찰이 되는 데에는 일반인이 경찰이라는 신분으로 바뀌어야 하는 과정이 있습니다. 경찰시험에 합격한다고 해서 바로 경찰이 되는 것은 아닙니다. 어느 시점부터 '내가 경찰이 되자.'라고 마음먹는다고 해서 경찰이 되는 것은 아니겠죠. 경찰이 되기 위해서는 시험에 합격하고 또 정해진 기간만큼 교육을 받고, 그 안에서 본인이 경찰이 되려고 하는 각오와 다짐을 하면서 시간이 지나야지만 어느 정도 기본이 갖추어지는 것입니다.

자, 그러나 해양경찰이 되려고 처음부터 마음을 먹었거나 충분한 선택과정을 거치고 해양경찰이 되려는 마음이 아주 간절한 분들은 열심히 노력하면 반드시 합격할 것이라는 말씀을 드립니다.

직업은 개인의 삶을 새로운 장으로 이끌어주고 든든한 디딤돌이 되며 자신의 가치를 실현할 수 있는 기반이 됩니다. 그것에 합당하다고 판단되는 대상을 선택하고 도전하기 바랍니다.

28. 해양경찰이 되기 전 짚어 봐야 할 것들

▶ ▶ ▶

취업을 하려는 사람 중에는 자신이 어떤 직업을 선택해야 할지 모르는 사람이 있습니다. 자신이 찾는 직업 중에서 해양경찰도 해 보고 싶은 직업 중의 하나라고 생각하는 분들에게 이 이야기를 전하고자 합니다. 직업을 선택하려는 사람의 마음을 저는 크게 두 가지로 나눌 수 있다고 생각합니다.

첫째는, 그렇게 많은 숫자가 해당하지는 않지만 일부의 사람은 자기가 되어야 할 직업에 대해서 어려서부터 정해 놓고 오랜 시간 동안 차분히 준비해 온 사람들이 있습니다. 그 직업에 대해서 미리 조사를 하고 많은 정보를 파악해서 그 직업의 장점과 단점을 다 알고 있고 자신의 적성에 맞기 때문에 그곳에 꼭 가려고 하는 사람들입니다.

그런데 많은 사람들은 내가 어떤 직장에 가야 할지를 잘 모르는 게 대부분입니다. 그러면서도 자신이 어떤 직업을 선택해야 되기 때문에 나름 자신의 기준에 따라 어느 하나를 선택하고 그곳에 들어가기 위해서 준비과정을 거치게 되죠. 제 생각으론 그때 문제가 되는 것이 무엇이냐 하면 그 직업이나 직장이 어떤 것인지를 정확하게 파악하지 않고 대충 추상적으로 알고 자신의 적성이 거기에 맞는지를 정확하게 생각하지 않는다는 점입니다.

오히려 그것보다 더 중요하게 생각하는 것은 "내가 그곳에 취직할 수 있을까?" 하는 자신의 실력으로 들어가기 적당한 곳을 먼저 찾는다는 점입니다. 물론 대상 직업에 대하여 '근무 조건이 어떤지, 봉급이 얼마인지, 사회적으로 어느 정도 인정을 받는 곳인지,' 등, 이런 것들을 사전에 파악을 하겠죠. 그렇지만 그것이 자신이 애착을 가지고 그 직장에 반드시 가야겠다는 것과는 좀 다르지 않을까요.

취업을 우선으로 생각하는 사람은 어디든 좋다는 생각으로 공부를 해서 시험에 합격하게 되면 기쁜 마음으로 그곳에 들어가려고 하겠죠.

시험에 합격하면 첫 번째 관문이 교육을 받는 과정입니다. 진심으로 해양경찰이 되려는 사람은 교육을 받는 과정에서도 자발적으로 열심히 교육을 받을 거라고 생각합니다. 왜냐하면, 자신이 되고 싶은 직장에서 일을 하기 위해서 필요한 지식을 배우기 때문에 관심이 많을 수밖에 없을 것입니다.

그런데, 자신은 취업을 하는 과정 중의 하나로 그냥 교육을 받고 있다고 생각하는 사람은 적극성에 있어 차이가 나겠죠. 그렇더라도 나중에 임용이 된 후에 실제로 열심히 근무한다면 큰 문제는 없습니다.

그런데 제가 현장에서 만나본 사람들에 대한 경험으로는 그렇지 않은 경우도 있다는 것입니다. 그랬을 때 그 사람이 경찰관으로 들어오기 전에 미리 '해양경찰이 어떤 것인지, 나의 적성에 맞고 내가 원하는 직업이 맞는지' 이런 것들을 파악하고 들어와도 늦지 않을 것인데 안타까운 생각이 듭니다.

여러분 중에는 "아니 직장이면 다 직장이고, 취업을 하면 어떤 종류나 일하는 차이가 조금 날 뿐, 어느 직장에 가든 무슨 차이가 있는가?" 하는 분들 계시죠. 그런데 제가 오랫동안 공직사회에서 경찰관으로서 근무를 하면서 느낀 점이 있습니다. 그것은 사기업과 공직은 다른 관점으로 보아야 한다는 것입니다.

흔히 젊은이들이 선호하는 대기업이라는 곳이 있죠. 또 대기업은 아니지만 일반적인 개인이 운영하는 회사들이 있습니다. 거기에 취업하는 경우에는 어떤 생각을 가지고 다닙니까? 내가 가진 지식과 내가 배운 기술, 그리고 나의 모든 능력을 바쳐서 일하고 그 대가를 받아서 생활을 한다는 관념을 가지고 있죠. 그러니까 어떤 회사의 대표인 누구(OO)에게 나의 노동력을 제공하고 그 대가를 받는다는 점이 요점이 되겠죠.

그런데 공직사회는 어떤가요? 어떤 개인에게 나의 노동력을 제공하고 대가를 받는 시스템이라고 생각합니까? 누구를 위해서 일을 합니까? 물론 거기에도 주인이 있죠. 그렇지만 그 주인은 구체적으로 정해진 개인이 아니라 전체 국민이죠. 이것은 국가를 운영하는 주체가 된다는 것입니다. 물론 여기에는 여러 분야가 있겠지만 국가를 운영하는 어느 한 부분의 축을 담당하여 일하는 것이 공무원입니다.

해양경찰도 해양이라는 장소적인 범위에서 경찰업무를 수행하는 신분을 가진 공무원으로서 국민들을 위해서 적합한 일을 담당하는 것입니다.

공무원 중에서도 경찰이나 소방, 군인 등의 역할은 대단히 중요한 것임을 다들 인정할 것이라고 봅니다.

해양경찰에 관심을 두고 있는 분이 생각하고 기대하는 해양경찰은 어떤 사람입니까?

만약에 자신이 바다에서 조난을 당했거나 위험에 처해 있을 때, 또는 범죄사건의 피해자가 되었다면 그 상황에서 해양경찰관이 어떻게 처리해 주기를 원하십니까?

그 질문에 대한 답변에 적합한 사람이 되기 위하여 시험 공부를 하고 합격하여 그 일을 하려는 것은 그 역할의 중요성을 인식하고 있기 때문이라고 생각합니다. 내가 바로 그 역할을 해야 할 사람임을 아는 것이죠.

내가 그 직업에 맞는 사람인지 내 능력이 그곳에 쓰이기에 충분한지를 따져보고 평생 그 직업을 가져도 후회를 하지 않을 것인지를 생각을 한 뒤에 나의 직업으로 결정하기 바랍니다.

공무원 시험을 준비하면서 여러 직종의 시험을 쳐보는

사람이 있습니다. 특히 해양경찰 시험에 합격해서 오는 사람 중에서 일반경찰 -경찰청- 채용시험에 많이 떨어지고 '해양경찰도 경찰이니까 비슷하겠지'하고 시험을 쳐서 들어오는 분들 계시죠. 저는 이런 사람들은 될 수 있으면 경찰시험에 몇 번 더 도전해서 합격하고 그쪽으로 가기를 권해드립니다. 경찰이 되고픈 마음이 큰 사람일수록 더욱더 그렇습니다.

왜 이런 말씀을 드리느냐 하면, 그 사람이 경찰이 되어서 펼쳐보고픈 꿈이 있겠지요. 해양경찰에 와서도 그런 꿈을 펼치면 되는데, 여기오면 환경이 다르기 때문에 조금만 자신이 원했던 일이 아닌 경우에는 환경 탓을 하거나 조직 탓을 해서 "나는 이런 일을 하러 온 사람이 아니다."하고 후회하게 될지도 모릅니다.

일반경찰과 해양경찰은 경찰이라는 목적은 같지만 업무의 환경이나 여러 가지 조건이 다를 수밖에 없습니다. 좀 더 넓은 시각을 가지고 '해양경찰을 해도 큰 문제가 없다'는 자세를 가지고 있다면 해양경찰에서도 일을 잘할 수 있습니다. 그런데 기본적으로 그런 마음을 가지고 있지 않은 사람은 비록 해양경찰에 합격을 해서 일을 하게 되더라도 만족감이 떨어지고 잘 적응할 수 없는 상태가 되기도 할 것입니다.

제가 여기에서 직업에 대한 여러분의 생각을 감히 주제넘게 뭐라고 하는 것은 아닙니다. 다만 직업을 찾는 젊은이들이 자기 이상과 적성에 맞고 보람되게 일할 수 있는 직장을 찾아 행복하게 살아가기를 바라는 마음뿐입니다.

이 글을 보는 사람 중에 혹시 아직 진로를 결정하지 못했다면 자신이 좀 깊이 생각해서 자신의 적성에 가장 맞고, 오랜 시간 동안 일할만한 가치가 있는 직업을 꼭 찾기를 저는 기대합니다.

제가 몇 번에 걸쳐 해양경찰을 선택하려는 사람들에게 비슷한 말을 반복하는 것은 해양경찰에 꼭 필요한 적임자가 들어와 근무하면서 자신이 찾는 어떤 의미를 얻기를 바라는 마음으로 하는 것입니다.

해양경찰에 대해 많이 알아보고 확신이 생긴, 사전에 준비된 그런 해양경찰관들이 많이 들어와서 구성원들과 어울려 일하면서 동료들을 신뢰하고 즐겁게 생활할 수 있기를 바랍니다. 그리고 해양경찰의 역할이 무엇인지를 잘 알고 현장에서 그 역할을 펼치면서 자신의 가치도 찾을 수 있어야 한다고 생각합니다.

해양경찰을 염두에 두고, 내가 해양경찰이 될 것인지, 말 것인지를 선택하는 과정에서 자신이 내린 결정이 잘 된 것이라면 그때부터는 최선을 다해 도전하십시오. 자신의 선택을 믿고 그 길로 가기를 소망하면서 해양경찰에 필요한 자질을 갖추어 간다면 해양경찰은 멋있고 가치 있는 직업이 될 것으로 생각합니다.

모두 파이팅 하십시오.

29. 해양경찰 채용시험 준비생에게

▸ ▸ ▸

이번 시간에는 해양경찰이 좋아서 해양경찰이 되고자 시험을 준비하는 분들에게 몇 가지 말씀을 드리고자 합니다. 여러분들이 지금까지 시험공부를 해 오셨다면 자기 자신을 한번 되돌아보고 앞으로 각오를 다져보는 것도 괜찮을 것 같아서 이런 말씀을 드리니 부담 없이 들어봐 주시기 바랍니다.

가장 중요한 말, 여러분이 지금까지 해양경찰이 되고자 열심히 노력해 왔다면 머지않아서 꼭 합격할 것이라는 말씀을 제가 드립니다. 반드시 합격할 것입니다. 여러분이 해양경찰이 되려고 하는 사유는 사람마다 다르겠죠.

해양경찰에 들어오려고 하는 젊은이들이 해양경찰에 대

해서 정확하게 파악을 하고 장점뿐만 아니라 단점까지도 알고 있다면 적임자가 될 수 있습니다. 그런 자세는 장래에 근무를 하게 될 때 어려운 점이 생기더라도 자신의 뜻을 펼치려고 하는 마음이 확고해서 힘든 상황도 이겨낼 수 있다고 보기 때문입니다.

어떻든 각자의 사유에 따라 해양경찰이 되어야겠다고 마음을 먹었다면 그때부터는 그것이 신념이 되어야 합니다. 절대로 흔들려서는 안되겠죠. 중간에 어떤 다른 마음을 먹는다든지, 포기를 한다든지, 실망을 한다든지... 이러한 것은 합격하는데 아무런 도움이 되지 않죠. 그렇기 때문에 '자신의 의지와 자신의 실력을 믿고 밀고 나가는 것이 합격의 지름길이다.'고 생각하시기 바랍니다.

공부방법에 대해서 물어보는 분들이 있습니다. 여러 가지 방법이 있지만 최종적으로 선택하는 것은 본인이 결정할 문제입니다. 개인마다 해양경찰이 되려고 나름의 계획을 수립했을 것입니다. 공부 기간도 정했을 것이고, 어떤 마음으로 공부를 해야 할 것이라고 마음먹고 있을 것입니다.

현재의 나의 실력과 내가 정해놓은 공부 기간에 맞추어서 생각을 해 본다면, '어느 정도의 강도로 공부를 해야 하고, 어떤 집중력을 가져야 하겠다.'라는 것은 스스로 알 수 있는 문제입니다. 자신이 세운 목표가 있다면 거기에 맞춰서 꾸준하고 진득하게 공부를 해나가는 것이 가장 좋다고 봅니다.

시험에서 가장 비중이 높은 것은 필기시험이죠. 여러분이 꾸준하게 공부를 하면 필기시험은 반드시 통과할 수 있습니다. 기출문제를 중심으로 문제를 많이 풀어보기 바랍니다. 반복해서 많은 문제를 풀다 보면 어느 순간에 자신이 실력이 쌓였음을 느끼는 날이 올 겁니다. 그 수준으로 자신의 실력을 올리기 바랍니다.

체력검사는 제가 전에도 말씀을 드렸듯이 평소에 꾸준하게 습관을 들여 나가는 것이 좋다고 봅니다. 그중에서 윗몸일으키기나 팔굽혀펴기는 평소에 조금씩 연습을 해나간다면 머지않아서 1등급으로 올릴 수 있습니다. 여러분의 체력이라면 충분히 할 수 있습니다. 이것은 반드시 매일 반복해서 해야 하고, 처음에 많이 하려고 욕심을 내지 말고 작은 개수로 시도를 해서 어느 정도 시간이 지나면 그 강도를 높여가는 방식으로 하는 것이 좋습니다.

그다음에 적성검사가 있는데요. 적성검사는 필기시험이 아닙니다. 말 그대로 '나의 적성이 경찰공무원에 맞는 것인지' 그것을 파악하기 위해서 하는 것입니다.

제가 과거에 영국의 경찰교육기관을 방문한 적이 있습니다. 거기에서 '영국의 신임경찰관을 채용할 때 적성검사를 하느냐'고 물어보았습니다. 그때 거기에 그런 제도가 없다는 말을 들었고, 경찰교육을 통해서 적성에 맞는 경찰관을 길러낸다는 답변을 들었습니다. 그 경찰교육에는 단계별로 교육 기간이 정해져 있는데, 상위단계로 올라갈 때 평가를 엄격하게 해서 다음 단계로 올라가지 못하면 탈락이 되는 제도가 있다는 것입니다. 적성에 맞지 않은 사람이 들어오게 된다면 평가를 통해서 걸러지게 되는 시스템을 갖추고 있었던 것입니다.

개인의 적성을 어떤 평가제도를 통해서 정확하게 찾아낸다는 것은 쉽지 않은 일이겠죠. 그렇지만 최소한의 제도를 만들어서 그 사람이 어떤 특정한 업무를 수행하는데 적성이 맞는지를 평가하는 절차를 두는 것은 나쁘지는 않을 것입니다. 그 시험에 지원하는 사람이 적성검사를 통해서 최소한의 점수 이상을 받게 되면 통과하는 제도를 만들어 놓고 있는 것입니다.

그런데 적성검사를 마치 필기시험을 준비하는 것처럼 생각해서는 그 취지에 맞지 않은 것이라고 봅니다. 물론 그 결과를 점수와 연결하고 있으므로 그런 현상이 일어난다고 봅니다.

수험생이 적성검사가 어떤 것인지 궁금하다면 책자를 구해서 보면 그 내용을 대강 알 수 있을 것입니다. 거기에 나오는 문제가 대단히 어려운 내용은 아닙니다. 어쨌거나 적성검사의 취지가 어떻다는 것을 알 수 있겠죠.

그다음에 면접시험에 있어서는 다소 면접의 스킬을 닦는 것이 필요합니다. 면접과 관련되어서는 다른 글(해양경찰 시험 단계별 대비 방법 등)에서 이야기하고 있고, 또 유튜브 마린폴 교실의 영상을 찾아보면 되겠습니다.

여러분 중에는 올해 처음으로 시험공부를 하는 분이 있을 것이고 그전부터 계속 준비해온 사람도 있을 것입니다. 그전부터 열심히 공부했는데도 떨어지는 사람이 있다면 절대로 포기해서는 안 된다는 말을 하고 싶습니다. 해양경찰이 되고 싶은 마음이 간절한 사람이 해양경찰이 되어야 하기 때문입니다.

제가 여기서 한가지 말씀을 드리겠습니다.

돌을 깨는 사람이 있다고 가정하겠습니다. 어떤 돌이 있는데, 이 돌은 망치로 100번을 내리쳐야 깨어진다고 합시다. 그런데

10번을 내리친 사람이 있고, 90번을 내리친 사람이 있는데, 둘 다 안 깨져서 포기를 했다고 한다면, 90번을 내리친 사람은 너무 안타까운 일이 되겠죠.

10번과 90번을 내리친 것은 겉으로 보기엔 안 깨어진 것은 똑같지만 10번과 90번을 내리친 것은 아주 다릅니다. 90번을 내리친 것은 안으로 금이 다 가 있을 겁니다. 몇 번만 더 치면 머지않아 돌이 깨어질 것인데 그것을 모르고 그만둔다면 얼마나 아깝겠습니까?

마찬가지로 해양경찰에 여러 번 도전을 한 사람은 머지않아 시험에 합격할 수 있는데 여기서 포기한다면 너무나 아까운 일이 되지 않을까요. 지금 상황이 힘들더라도 조금만 참고 이겨낸다면 합격의 날이 곧 다가올 것이라는 말씀을 드립니다.

어떤 일이나 현상에는 임계점이 있습니다. 그것에 도달해야 일이 이루어지는 것입니다. 여러분이 하는 오늘의 노력은 임계점을 지나면 합격이 되어 자신에게로 옵니다.

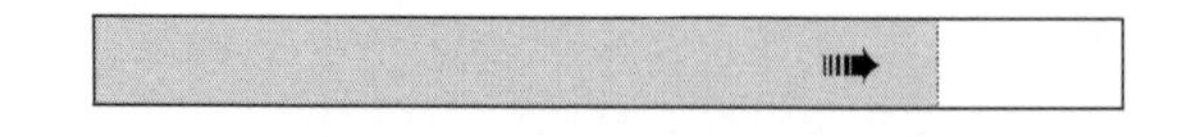

힘 내십시요!

30. 해양경찰 면접의 핵심

▶ ▷ ▶

해양경찰 채용시험은 몇 단계로 이루어져 있는데, 여기서는 마지막 단계인 면접시험에 대비하는 것에 대해 말씀드리려고 합니다.

저는 여러분이 이미 알고 있는 면접절차, 형식, 점수 등에 대한 것은 제외하고 면접장에서 직면하게 될 핵심적인 사항을 말씀드리고자 합니다. 오늘은 중요한 뼈대만 먼저 말씀드리고 다음번에 기회가 되면 거기에 살을 붙여서 좀 더 자세한 내용을 말씀드리겠습니다.

지금 말씀드리는 내용을 참고하여 여러분이 스스로 어떻게 할지 고민하면서 자신만의 대비책을 만들어 보면 면접에 대한 감이 한결 좋아질 것입니다.

지금부터 해양경찰의 면접시험에 대비해서 가장 중요한

요점이 되는 사항을 말씀드리겠습니다.

(1) 수험생이 면접을 주도해야 한다.

수험생이 면접을 준비할 때는 누구의 도움도 받고, 함께 어떤 역할을 돌아가며 해 보는 등 여러 가지를 할 수 있습니다. 그러나 면접장에 가면 도와주는 사람이 아무도 없고 모든 것을 자신이 혼자서 진행을 해야 합니다. 그럴 때 면접관에게 끌려가서는 면접을 절대로 잘할 수 없습니다. 면접장에서 자신감을 가지고 수험생이 주도하여 면접을 이끌어 가야 하는 것입니다.

(2) 면접관을 잘 파악해야 한다.

면접관이 누구인지 잘 파악해야지만 답변을 잘할 수 있는 위치를 점할 수 있게 됩니다. 수험생은 면접 때 자신의 역할만 잘하면 된다고 생각하겠지만 면접장에서는 면접관의 역할이 아주 크기 때문에 면접관에 대해서 잘 파악하고 있는 것이 정말 중요한 것이라는 점입니다. 면접관의 특성을 잘 음미해서 파악해 보십시오.

(3) 면접관을 어떻게 대해야 하는가.

이것은 두 번째 내용과 연결이 되는 부분입니다.

먼저 면접관을 파악하고, 그다음에 “그 면접관에게 어떻게 답변을 해나가는 것이 좋을까?"라는 것에 대해서도 잘 알고 있어야 합니다. 면접관이 누구인지를 파악한다면 어떻게 대해야 하는지를 알게 될 것입니다. 또 그렇게 되면 면접관이 질문하는 것에 대하여 답변도 수월하게 할 수 있지 않겠습니까.

(4) 자신의 장점과 능력을 제대로 보여준다.

면접은 정해진 시간에 자기 자신을 제대로 보여주고 제대로 평가를 받는 것입니다. 그렇기 때문에 짧은 시간에 자신이 잘하는 점이 무엇인지, 장점이 무엇인지를 정확하게 설명해주고 거기에 대한 평가를 제대로 받아야 할 것입니다. 자신의 장점, 능력이 해양경찰 조직에 필요하다는 부분을 어필해야 합니다.

(5) 해양경찰이 되었을 때 근무 자세를 보여준다.

만약에 시험에 합격해서 해양경찰관이 된다면 그때 근무 자세에 대해서 제대로 이야기하는 것입니다. 자신이 어떤 자세로 일을 할 것이며 자신의 포부나 역할 등에 대해서 확고한 자세를 보여주는 것이 좋겠죠.

제가 말씀드리는 이 사항을 한꺼번에 답변할 수도 있겠지만 몇 가지 질문이 나오기 때문에 그 질문에 따라 잘 조합을 해서 답변할 연습을 해야 합니다.

제가 하는 이야기가 애매하게 들릴 수도 있을 것입니다. 수험생은 모범답안 같은 말을 해 주기를 바라고 있는데 그게 아니니 기대에 못 미친다고 생각하겠죠. 그러나 시험을 준비하는 사람은 자세가 적극적이어야 합니다. 모든 시험과정을 자기 자신의 힘으로 헤쳐나간다고 마음먹어야 합니다. 면접도 같은 이치입니다.

제가 위에서 말한 뼈대를 중심으로 여러분이 살을 붙여 보세요. (1)~(3)을 하나하나 짚어 나가면서 상황을 만들어 보면 적절한 내용을 찾아낼 수 있게 되고 좀 더 구체화 시킬 수 있을 것입니다. 그런 시도를 하는 사람은 합격에 한 발 더 다가서 있다고 말할 수 있습니다.

지금까지 짧게나마 해양경찰 면접에서 어떻게 대비하면 좋을지에 대해서 핵심사항을 말씀드렸습니다. 여러분이 그 내용을 잘 파악해서 준비한다면 큰 문제 없이 대비할 수 있을 거로 생각합니다. 잘 연습하여 면접을 주도할 수 있는 자신감도 함께 장착하기 바랍니다.

31. 해양경찰 채용시험 단계별 대비 방법

▶ ▷ ▶

이번 시간에는 해양경찰 채용시험을 준비하는 사람들에게 필요한 이야기를 해 볼까 합니다. 채용시험을 준비하는 사람들에게 좀 더 핵심적인 부분을 이야기함으로써 시험에 합격하기를 바라는 마음입니다. 지금부터 시험의 각 과정에서 중점적으로 준비해야 할 사항을 말씀드리겠습니다.

해양경찰 채용시험 절차를 보면 필기시험, 적성검사, 체력검정, 면접시험으로 구성되어 있습니다. 지금부터 그 과정을 하나하나 살펴보도록 하겠습니다.

(1) 필기시험

이론을 먼저 파악한 다음 객관식 문제를 풀어보는 순으로 공부할 것입니다. 먼저 이론공부를 통하여 과목의 성격과 중심이 되는 내용을 파악해야 합니다. 그다음에 문제 풀이를 할 때 제가 강조하고자 하는 것은 기출문제를 많이 풀어보라는 것입니다. 객관식 문제집을 선택할 때는 될 수 있으면 기출문제가 많이 포함된 책을 구해서 공부하기 바랍니다. 기출문제는 검증을 받은 문제라고 볼 수 있겠죠. 문제에 하자가 없다고 할 수 있기에 다음번에 같은 주제나 비슷한 문제를 낼 수 있습니다.

또 시험공부를 할 때 과목당 책 한 권만 가지고 공부하지 말고 성격이 다른 문제집 두세 권 정도를 선택해서 문제를 풀어보는 것이 좋습니다. 책마다 공통된 문제도 있지만 완전히 다른 문제도 나오기 때문에 한 권만으로는 부족함이 있기 때문입니다.

(2) 적성검사

적성검사는 말 그대로 개인의 적성을 알아보는 것으로서 응시자가 경찰관의 업무를 수행하는 데 적합할 것인지를 점검하는 방법으로 하는 것입니다. 이것은 그냥 평범한 상태에서 어떤 사람의 있는 그대로를 평가하는 것이기 때문에 미리 준비하여 검사를 받는다면 취지에 맞지 않는 일이라 하겠습니다.

그 검사에서 최저의 점수만 나오지 않는다면 그 사람의 성격이나 가치관, 기초지식 등이 경찰관으로서 업무를 수행하는 데 문제가 없다고 보고 통과가 됩니다. 그런데, 문제는 검사의 결과에 대하여 등급을 나누고 점수를 부여하고 있으니 수험생은 한점이라도 더 받으려고 미리 대비를 하는 것입니다.

검사에는 인성과 적성이 포함됩니다. 그런데 인성검사는 말 그대로 그 사람의 인성, 성격이나 심리를 파악하는 것이므로, 가장 중요한 점은 솔직하게 있는 그대로 표기하면 된다는 것입니다.

그다음 적성검사의 내용을 보면 간단한 문장을 분석하는 것, 계산을 하는 것, 수열 배치를 하는 것, 도형을 보고 어떤 것을 추리하는 것, 사례를 통한 문제해결 능력 등을 알아보는 것입니다. 내용이 궁금하다면 시중에 책이 나와 있으므로 구해서 본다면 유형과 구성에 대해 이해할 수 있을 것입니다. 대단히 어려운 내용은 아니며, 누구에게나 공평한 조건에서 평가하는 검사입니다.

(3) 체력검사

체력검사는 5개 과목으로 구성되어 있습니다. 100M

달리기, 윗몸일으키기, 팔굽혀펴기, 악력, 50M 수영 등으로 되어있죠. 이 중에서 준비를 차분히 한다면 등급을 올릴 수 있는 것이 3개 정도는 있다고 봅니다. 바로 윗몸일으키기, 팔굽혀펴기, 악력이라고 저는 생각합니다.

여기서 팔굽혀펴기에 대하여 예를 들어보겠습니다. 어떤 사람은 "나는 팔굽혀펴기를 한 개밖에 못 해요. 그것도 억지로 합니다." 하는 사람이 있을 수 있죠. 이 사람의 경우 1등급으로 올리려면 50개 이상을 해야 되는데 불가능한 일일까요? 저는 그렇지 않다고 봅니다. 윗몸일으키기, 악력도 마찬가지라고 보고요.

등급을 올리는 방법이 궁금하시죠? 그것은 바로 거기에 대한 습관을 들이는 것입니다.

아직 몇 개월의 여유가 있다면 충분히 할 수 있는 일이라고 봅니다. "나는 체력이 약해서 절대로 할 수 없어."하고 포기하는 사람은 그런 습관이 들지 않았기 때문이겠죠.

습관의 원리는 아주 작은 숫자로 시작하되 매일 반복하는 것입니다.

자신이 팔굽혀펴기를 처음 시작할 때 1개 밖에 못 한

다면 1개로 시작하여 매일 반복해서 1개를 지속적으로 합니다. 반복하는 것을 하루라도 빠뜨려서는 안 됩니다. 그렇게 1개를 며칠간 계속하다 보면 2개를 할 수 있게 됩니다. 그러면 또 2개를 며칠간 계속하고, 그것이 시간이 지나면 3개, 4개, 5개로 올릴 수 있게 됩니다. 사람에 따라 다르지만 20일이나 한 달이 지나면 자신이 하는 운동이 어느 정도 자리잡히게 되고 습관으로 몸에 밸 수 있습니다.

어떤 일을 할 때 의지만으로 할 수 있는 것에는 한계가 있습니다. 현실적으로 하기 어려운 일은 아무리 의지가 강해도 끝까지 시도하기가 어렵고 작심 3일이 되기가 쉽습니다. 목표치가 너무 높아 달성하기가 힘들기 때문이죠. 그러나 목표를 아주 쉽게 잡고 시작하면 큰 부담이 없어 포기하지는 않게 되죠.

작은 숫자로 시작하지만, 반드시 지켜야 할 점은 반복해야 합니다. 습관이 밸 때까지는 그것이 필요합니다. 시간이 지나 습관이 들면 저절로 하게 되는 것이 습관의 힘입니다. 그렇게 하다 보면 자신의 등급이 조금씩 올라감을 느끼게 될 것입니다.

그런 방식으로 윗몸일으키기와 악력도 해 보기 바랍니다. 악력은 악력기를 구해서 해야 되겠죠. 간단한 악력기로 매일 연습하고, 또 손으로 당기면 숫자가 표시되는 기계를 구해서 반복적으로 연습하면 등급을 올릴 수 있습니다.

100미터 달리기는 속도를 올리는 것이라 그렇게 하기가 쉽지 않습니다. 그래도 꾸준하게 연습하여 자신이 올릴 수 있는 한도까지 노력해 보기 바랍니다.

50미터 수영은 130초(남자) 이하 또는 150초(여자) 이하에 해당하면 합격이므로 수영을 못하는 사람은 배워야 하겠죠. 수영을 못하는 사람은 어렵다고 생각할 수 있겠으나 누구나 충분히 배울 수 있습니다.

체력검사에서 좋은 점수를 받을 수 있도록 각 과목을 잘 준비하기 바랍니다.

(4) 면접시험

면접은 시험과정에서 준비를 잘해야 하는 중요한 분야입니다. 제가 앞에서도 말씀드렸고 유튜브 마린폴 교실에서도 해양경찰 면접에 대해서 말씀드린 내용이 있습니다. 해양경찰 면접에 대비해서 5가지를 이야기했는데요.

① 수험생이 면접시험을 주도하라.

수험생이 면접장에 들어가면 긴장해서 떨리고 답변을 제대로 못 할 수도 있습니다. 그런 상황에서 면접관이 주도하는 대로 이끌려 간다면 그 분위기에 빠져서 여유 있게 답변하기가 쉽지 않습니다. 그래서 미리 대비하고자 제가 아래 ②③을 말씀드린 것입니다. 그것을 잘 파악하여 적합하게 대응한다면 수험생이 면접을 주도할 수 있습니다.

여기서 한 가지 예를 들어보겠습니다. 여러분이 일반적으로 어떤 사람을 대할 때 상대방이 누구인지 모르는 상태에서 그 사람에게 집중하게 된다면 이유는 무엇일까요? 그것은 상대방에게 나를 이끌고 집중하게 하는 힘이 작용하기 때문이 아닐까요.

면접에서 면접관과 수험생이 처음 만나 몇 마디 대화를 나눈 후 면접관이 수험생에게 주의를 집중 당할 만한 분위기가 만들어진다면 수험생이 면접을 주도할 수 있을 것입니다. 물론 쉬운 것은 아니지만 준비를 잘하여서 자신의 모습이나 말에서 나오는 호감이 갈만한 것을 만들어야 할 것입니다.

② 면접관이 누구인지 파악하라

면접관이 누구인지에 대해서 차분히 한번 생각해

보겠습니다. 면접관은 누구일까요? 스스로 질문을 던져보면 간단한 몇 가지는 알 수가 있습니다.

해양경찰을 뽑는 시험이므로 면접관은 해양경찰에 근무하는 사람일 것이고 어느 정도 계급이 있는 간부급 경찰관일 것입니다. 수험생보다는 해양경찰에 대하여 훨씬 많이 알고 있겠죠. 또 수험생보다 사회경험이 많고 나이가 더 많은 기성세대일 가능성이 크겠죠.... 등등, 이 정도는 유추할 수 있을 것입니다.

그렇다면 이런 면접관에게 어떤 답변을 하면 좋은 평가를 받을 수 있겠습니까?

여기에 대한 답을 찾아보기 바랍니다.

③ 면접관을 어떻게 대할 것인가

위에서 말한 방식대로 면접관이 누구인지를 더 파악해보고 그런 성향을 지닌 사람들은 어떤 모습과 어떤 답변을 듣기를 좋아하는지도 검토해 보아야 합니다. 그들은 요즘 젊은이의 취향과는 다른 가치관을 가지고 있을 것이며 해양경찰이라는 직업에 대한 관념도 다를 것입니다. 그런데 수험생의 생각으로 답변을 하면 어떤 점수를 줄 것인지를 염두에 두고 준비해야 겠죠.

④ 자신의 장점을 어필하라

자신의 성격이나 직무에 관하여 장점, 잘할 수 있는 자질이나 기술 등을 당당하게 설명해야 합니다. 답변은 자신의 장점이나 특성이 해양경찰이 되었을 때 꼭 필요하게 쓰일 수 있다는 것에 초점이 맞춰져야 할 것입니다. 거기에 대한 답변 또한 본인이 만들어 보기를 권해 드립니다.

⑤ 자신의 자세나 각오를 말하라

해양경찰이 되었을 때 어떻게 근무할지에 대하여 자신의 근무 자세나 포부 등을 말하는 것입니다. 이 답변을 통해서 자신이 해양경찰에 꼭 필요한 사람으로 인정받을 수 있도록 해야 할 것입니다. 직접적으로 강조하기도 하고, 때로는 간접적인 표현이지만 결과적으로는 그 의미가 나타날 수 있도록 하는 게 좋겠죠.

수험생들은 면접관이 던지는 질문의 내용이 무엇인지에 대해 미리 알고 싶어 하고 그에 대한 답변을 잘하는 것이 면접의 전부라고 생각할 수 있습니다. 그러나 그것도 중요하지만 면접관은 한 가지만 보는 것이 아니라 전반적인 모습을 보는 것입니다. 그러니 제가 말씀드린 내용에 관하여 종합적으로 준비하기를 당부드립니다.

이 면접시험에서 각자의 자세나 답변이 다르게 나오기 때문에 여기에서 점수가 갈라질 수 있으므로 좋은 평가를 받도록 대비하는 게 필수입니다.

이상으로 해양경찰 채용시험에 대한 단계별 준비사항을 어떻게 대비하면 좋을지 알아보았습니다. 각 단계에서 필요한 점을 파악하고 준비를 잘하여 좋은 결과가 나올 수 있기를 기대하겠습니다.

32. 신임해양경찰 교육의 중요성

▶ ▷ ▶

해양경찰 채용시험에 합격해서 해양경찰관이 되려고 하면 반드시 거쳐야 할 곳이 바로 해양경찰교육원의 신임경찰 교육과정입니다. 시험에 합격한 사람들의 입장에서는 바로 현장에 투입되어서 경찰관으로 활동하고 싶은 마음도 있겠지만, 반드시 교육원의 교육과정을 거쳐야 하는 이유가 있습니다.

수험생이었던 사람들이 시험에 합격해서 신임경찰 교육생이 되고, 그리고 소정의 교육과정을 거쳐야지만 정식 해양경찰이 되는 것이죠. 이 과정에서 해양경찰교육원은 바로 해양경찰의 출발지점이라고 할 수 있습니다. 합격생들이 처음 만나는 해양경찰 기관이 바로 해양경찰교육원이기 때문에 그렇습니다.

일반적으로 사회에서 어떤 사람이 어떤 회사에 취직하는 과정을 보면, 거기에 합격하면 교육을 받게 됩니다. 그 교육은 바로 조직에서 필요로 하는 업무, 업무 지식일 겁니다. 업무를 배우고 나면 정식직원이 되어서 근무를 하게 되겠죠.

해양경찰도 이것과 비슷한 절차를 거치는 것 같지만, 업무만 배워서 해양경찰로 시작하는 것은 미흡함이 있습니다. 그것은 바로 해양경찰이 되려면 일반인에서 경찰이라는 신분으로 바뀌어야만 하는 것입니다.

그럴 때 업무만 안다고 해서 해양경찰이 되는 것은 아니죠. 사람은 그전과 달라진 게 없는데 업무만 조금 배우고 경찰 제복만 입는다고 해서 경찰관이 되는 것은 아니라는 말입니다. 경찰이라는 직업은 신분이 그 전과는 완전히 다른 것으로 바뀌는 것입니다. 여기에는 업무의 내용만 배우면 되는 것이 아니라 업무를 할 때 여러 사람을 대하게 되는데 그 대하는 사고방식이나 자세가 완전히 달라져야 하는 것입니다.

해양경찰의 정신을 배우고, 해양경찰이라는 신분으로 새

롭게 태어나는 것이죠. 해양경찰이라는 새로운 신분으로 길러지는 데는 일정한 교육 기간을 거쳐서 되는데, 과거부터 현재까지 그 기간이 조금씩 달랐습니다. 3개월일 때도 있었고, 그리고 6개월, 9개월, 1년 등 기간이 조금씩 차이가 나는 때가 있었습니다. 그 당시의 상황에 맞게 기간을 정한 것이겠죠. 현재는 6개월 교육을 받고 또 실무에서 실습을 거쳐서 경찰관이 되는 거로 알고 있습니다.

만약 여러분이 경찰교육을 받는 대상자라면 "자신은 어느 정도의 기간이 지나면 일반인에서 경찰로 정신과 자세가 바뀔 수 있다고 생각하십니까?"

그 기간이 너무 짧아도 안 될 것 같고 너무 길어도 지루할 것 같죠. 적당한 기간을 정해서 해양경찰 정신과 그리고 업무를 수행할 수 있는 여러 가지 지식을 배우는 것이 필요하겠죠.

어릴 때부터 해양경찰이 되고자 마음먹고 자기 스스로 뭔가 준비를 해온 사람과 짧은 기간에 해양경찰이 되겠다고 마음먹고 시험에 합격해서 교육을 받는 사람이 혼재되어 있습니다. 이럴 때는 모두에게 공통적인 교육 기간을 정해서 교육시킬 수밖에 없겠죠.

교육을 받는 교육생은 자기 자신이 지금까지 되려고 하

는 해양경찰의 상이 있을 겁니다. 거기에 맞춰서 열심히 교육을 받고 진심으로 자신이 원하는 경찰상이 되어가도록 노력을 해야 할 것입니다.

교육원의 입장에서는 새롭게 훌륭한 해양경찰관을 길러내야 하기 때문에 교육과 훈련, 그리고 생활지도에 이르기까지 최선을 다해야 하겠죠. 교수요원들은 자신이 길러내는 신임경찰관들이 앞으로 해양경찰의 대표성을 띨 것이라는 인식하에서 스스로 노력하고 연구해서 제대로 된 교육을 시행해야 할 것입니다.

아울러 본청에서도 해양경찰 교육의 중요성을 인식하고 뛰어난 교수요원을 배치하고 교육과 관련된 여러 가지 지원을 아끼지 않아야 할 것으로 생각합니다.

신임교육생이 교육과정을 거쳐서 신임경찰관으로 임용이 되고 현장에 가서 업무를 수행하면서 국민에게 한 사람 한 사람이 해양경찰을 나타내는 대표성으로 인식됩니다.

그러한 과정의 첫 번째 단계가 바로 해양경찰교육원에서의 교육이죠. 따라서 이 과정의 교육이 얼마나 중요한지를 다 알 수 있겠죠.

국가에서 예산을 책정할 때도 경찰관 개개인의 교육을

아주 중요하게 생각해서 알차게 수립하고 있습니다. 이러한 취지 아래 경찰관의 교육이 제대로 이루어지기 위해서는 '교육을 받는 신임 교육생, 교육을 시키는 교육원의 교수요원과 교직원, 그리고 그것을 지원해주는 본청 교육부서의 역할'이 대단히 중요하다고 할 수 있겠습니다. 이러한 3자의 역할이 제대로 이루어질 때 뛰어난 신임경찰관이 길러지고 해양경찰교육원의 전통이 제대로 확립될 것으로 생각합니다.

오늘도 해양경찰교육원에서는 신임경찰관 교육이 이루어지고 있습니다. 지도에 수고가 많으신 교수요원과 여기에 자발적으로 참여하는 교육생들이 함께 어우러져 좋은 교육결과가 나타나기를 기대 하겠습니다.

"해양경찰교육원은 해양경찰의 출발지점이다!"

33. 신임해양경찰 교육에서 무엇을 배우나?

▷ ▶ ▷

해양경찰 채용시험에 합격하고 해양경찰교육원에 교육 입교를 앞둔 분들은 어떤 생각을 하고 있을까요?

신임교육생이 해양경찰교육원에서 어떤 내용을 배우는지 또 입교할 때 어떤 준비를 해야 하는지에 대해서 말씀드리고자 합니다.

기대되나요?

지금껏 몇 차례에 걸쳐서 해양경찰 수험생에게 당부와 신임 교육의 중요성에 대해서도 말씀을 드렸습니다. 이번 시간에도 교육 입교와 관련된 내용을 간단하게 알려드리려고 합니다.

아마 지금 시험에 합격해서 교육 입교를 앞둔 분들이 있을 것입니다. 그곳에서 어떤 교육을 받는지, 어떤 생활을 하는지 궁금해하고 있겠죠. 각자가 교육 전에 어떤 내용을 배우는지에 대한 정보를 가지고 있을 것이고 또 준비를 하고 있을 거라고 생각합니다.

이 과정에서 제가 생각하기에 가장 중요한 것은 마음의 준비가 아닐까 합니다. 교육 입교를 하면서 아무런 준비 없이 교육에 임해도 따라갈 수는 있겠지만 사전에 마음의 준비를 하고 있다면 어떤 어려움이나 힘든 상황이 닥치더라도 잘 헤쳐나갈 수 있을 것으로 생각하기 때문에 마음의 준비는 대단히 중요한 요소라고 생각합니다.

이것과 관련해서 앞에서 수험생들에게 당부의 말씀을 드렸고, 시험에 합격한 후 교육을 받을 때도 교육의 중요성과 함께 강조한 것이 일반인이 교육을 통해서 경찰관으로 신분이 바뀐다는 점이었습니다.

그 말이 드디어 실전에서 쓰이게 되는 때가 왔습니다.

합격생이 해양경찰교육원에 입교하기 전에 갖추어야 할 것이 있다면, 매일 조금씩 운동을 해서 기초체력을 다져놓으라는 것입니다. 지금까지 집에서 자유롭게 생활을 했다면 교육원에 들어가면 규칙적인 생활을 하게 됩니다. 정해진 일과표에 따라서 질서 있는 생활을 해야 하므로 기초체력이 있어야 잘 따라갈 수 있습니다.

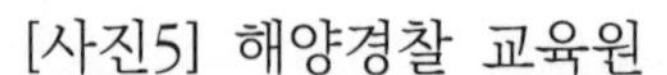
[사진5] 해양경찰 교육원

자, 이제 거기서 배우는 교육을 한번 살펴볼까요.

교육은 기본적으로 해양경찰관으로서 업무를 수행할 때 필요한 업무 지식과 기술, 기타 경찰관의 자세 등에 관한 것입니다. 그것은 시험과목 속에 들어있는 내용도 있고, 또 제가 앞에서 말씀드렸던 해양경찰에 관련된 여러 가지 업무와 관련된 내용 들이 포함되어 있습니다.

예를 들면, 경찰관에게 필요한 체력훈련, 현장에서 업무를 수행할 때 필요한 직무에 관련된 지식, 그밖에 관련된 여러 내용을 실습을 통해서 습득하는 것입니다.

[표11] 신입경찰과정 교육 내용

〈체력 훈련〉

기초 체력훈련, 수영, 무도(태권도·유도 등), 체포술 등

〈현장 업무지식〉

경비, 수색구조, 해양안전, 수사, 정보, 해양오염방제 등

〈실습교육〉

수상레저기구 운용, 사격술, 심폐소생술, 함정운용술, 화재진압, 파출소 업무 등

그리고 국가공무원으로서 갖춰야 할 소양도 배우게 되죠. 신분이 국가공무원으로 바뀌기 때문에 공무원으로서 해야 할 것과 해서는 안 되는 일들이 포함되어 있습니다.

이제 교육을 통해서 어제의 나와 내일의 내가 신분이 바뀌게 됩니다. 일반인이 교육원으로 들어가서 몇 개월의 교육을 받고 경찰관으로 새롭게 태어나는 것이죠. 이것은 단순히 개인이 어떤 직업을 선택해서 그 직장에 취직한 것과는 차원이 다르죠.

여기에서 해양경찰의 정신이 무엇인지, 해양경찰의 태도와 자세 등을 배우는 것입니다. 이것은 관련 과목을 통해서 강의실이나 교육장에서 배우기도 하겠지만, 그 밖에 교육원 안에서 이루어지는 여러 생활과 활동을 통해서 스스로 체험하고 겪게 되는 것도 있습니다. 정해진 교육 기간 안에 이루어지는 모든 교육과 생활은 교육생이 경찰관으로 되는데 밑거름이 될 것으로 생각합니다. 따라서 개인들이 사전에 마음의 준비를 하였다면 마지못해 교육을 받지 않고 자발적으로 교육에 참여할 것이라고 봅니다.

거기에는 이 교육을 통해서 앞으로 훌륭한 경찰관으로 태어나겠다는 자기 자신의 다짐이 포함되어 있다고 볼 수 있겠죠. 이러한 각오를 교육 기간에 스스로 잘 실현하고 교육이 끝나고 치안현장에 임용이 되었을 때 멋진 해양경찰관으로 근무하고 있는 자신의 모습을 떠올리면서 교육을 받는다면 알차고 보람된 교육이 될 수 있을 거라고 봅니다.

이러한 마음은 각자가 해양경찰을 선택하는 과정에서, 수험생활을 하는 과정, 합격 후 교육을 받는 과정에서 두루 적용되는 것이 좋을 것으로 생각합니다. 이런 준비를 하고 있으면 앞으로 자기 역할을 잘 해내는 경찰관이 될 수 있을 것이라 생각하기 때문입니다.

저는 해양경찰교육원에 오랫동안 근무하면서 많은 기수의 신임경찰관을 길러내었습니다. 그 과정에서 교육을 받는 교육생들의 태도나 자세, 그리고 그들이 원하는 내용들을 많이 보아왔기 때문에 그것을 고려해서 말씀드리고 있습니다. 여러분들이 교육과정에서 겪는 많은 경험 들이 있겠지만 그중에서 가장 중요한 것은 자신이 바라고 꿈꿔왔던 경찰상으로 자리 잡는 것이라고 생각합니다.

제가 여기에서 해양경찰교육원에서의 모든 내용을 말씀드리기보다는 약간의 궁금증을 남겨 두어서 여러분이 교육생이 되어 직접 겪어보는 것도 좋을 것입니다.

저의 마음속에는 항상 뛰어난 후배들이 교육을 잘 받아서 현장에서 해양경찰관의 역할을 잘해줄 것을 기대하고 있습니다. 신임교육생의 장래 경찰관으로서의 생활은 현재 교육을 어떻게 받을 것인지에 대한 마음 자세와 직결되어 있음을 기억하면 좋겠습니다.

맺는말

⌛

마음은 늘 그대로 일 텐데 책을 펴낼 때가 되면 새로운 마음이 됩니다. 이번 책이 나오는 데는 저번보다 시간이 좀 더 걸린 것 같습니다. 다른 때에 비해서 시간도 여유도 훨씬 많았음에도 더 긴 공백이 생긴 것은 무엇에 얽매이지 않는 마음이 과해서 그렇지 않을까 하는 생각이 들기도 합니다.

별다른 의도 없이 살아가면서 그전과는 조금 다른 방식으로 글도 쓰고 영상도 만들고 강의도 하는 것이 일상이 되어가고 있습니다. 계획 없이 유튜브를 시작한 지 1년이 지나면서 그동안 했던 이야기가 쌓여서 이렇게 책을 만들어 내는 기반이 되었습니다. 평소에 가끔 했던 말 중에 "무엇이든 일단 시작하고 보자."라는 게 있었는데 이 시점에 맞는 말일 수도 있다고 생각해 봅니다.

살다 보면 무엇을 해야 좋을지 판단이 서지 않을 때가 있지요. 그때 가만있지 말고 어떤 것이든 할 수 있는 일을 시작하다 보면 다른 어떤 것과 연결이 되거나 새로운 결과가 나올 수도 있습니다. 오랫동안 머리를 짜내어 계획하고 그에 맞추어 일해왔던 방식에 익숙해진 삶에서 벗어나도 길은 또 새롭게 펼쳐지는 것 같습니다.

늘 그렇듯이 이 책의 주제도 소수의 사람만이 관심을 갖는 분야입니다. 그래도 누군가 꼭 필요한 사람에게는 소중하게 쓰일 수도 있다는 생각으로 하는 것입니다. 오랜 시간을 직업으로 활동했던 분야의 이야기를 풀어낼 수 있었던 것은 그간의 노정에 나도 모르게 깊이 빠져 있었던 결과는 아닌지 모르겠습니다.

글을 쓸 때마다 느끼는 것이 있는데, 그것은 일단 쓰기 시작하면 저절로 쓰여진다는 점입니다. 그렇다고 해서 자동으로 술술 나오는 것은 아니지만 어느 정도의 틀을 잡고 나면 자연스럽게 진행되는 에너지가 주어지는 것 같습니다. 그 기운에 힘입어 이번에도 또 한 권의 책을 완성하게 되었습니다. 오랜만에 작은 성과를 맛보는 것 같습니다.

이번 책은 이 분야의 새로운 길을 개척하고 그 길을 걸어가는 길잡이 역할을 할 수 있을 것으로 생각합니다.

해양경찰에 대하여 속속들이 다 알려줄 수는 없지만 초심자나 몰랐던 사람들에게는 이것으로도 기본은 갖출 수 있을 것입니다. 조금 더 세밀한 부분은 자신이 직접 그 일을 경험해보면 알게 될 수 있으므로 그 몫으로 남겨 두었습니다. 해양경찰학 개론의 내용을 다 안다고 해도 해양경찰을 알 수가 없듯이 직접 해 보는 것의 힘은 대단한 것입니다. 그것이 쉽지 않으므로 책을 읽어보고 간접경험을 하는 것입니다.

이제 작업을 마무리하면서 이 책을 통하여 해양경찰을 이해하는 사람이 늘어나고 뜻을 품은 젊은 인재들이 그 길을 가는데 필요한 지표가 되기를 기대합니다.

2022년 10월 서 동 일